André Boccato

Sabores Brasileiros

receitas típicas por região

Brazilian Taste

tipical recipes by regions

SÃO PAULO

MERCADO MUNICIPAL / *MUNICIPAL MARKET*

APRESENTAÇÃO

POR ANDRÉ BOCCATO

Existe uma gastronomia brasileira?

Vejam que a pergunta não questiona se existem boa comida, bons restaurantes ou bons chefs. A pergunta, mais um questionamento do que propriamente indagação, é sobre essa palavra moderna e atual que resume o mundo dos sabores treinados. Talvez melhor dizer: "o mundo dos sentidos gustativos".

Sim, sentidos podem e devem ser treinados. Se não, como diferenciar as nuances, notas, influências e reminiscências que só o intelecto pode referenciar?

Existe uma gastronomia brasileira? Não estamos falando da conhecida culinária, inexoravelmente (e injustamente) relegada à condição de só fornecer "sustança", de ser a refeição do dia a dia. Parece que se descobre que também nos alimentamos de ideias, conceitos, pensamentos...

Viva a gastronomia do Brasil! Mas existe tal coisa? Ou seremos então praticantes da gastronomia dos portugueses, dos africanos, dos indígenas ou de tudo um pouco, como parece ser nossa tendência de assimilação internacional?

Desnecessário dizer que somos muito jovens como nação: nem pensar em comparar nosso jeito de ser e comer com aqueles de asiáticos, europeus ou qualquer um vindo de culturas com mais de 2.000 anos. Somos jovens, sim, e sabe o quê? Como jovens, temos a esperteza aventurosa da juventude, aquela de aproveitar o melhor que se pode – de tudo – sem deixar de lado nossas próprias invencionices, seja na cozinha, na cultura, na indústria, no design, etc. Talvez seja por isso que nessa nossa atual saída da adolescência tenhamos despontado como uma nação forte em um mundo conturbado.

Mestres como Gilberto Freyre e Câmara Cascudo registraram nosso rico cancioneiro geral da gastronomia: receitas nascidas em outros continentes e trazidas, como sementes, pelos ventos ou pelas naus, e que aqui frutificaram e se embrenharam no mato; receitas que foram redescobertas e casaram com outras da nossa terra e fizeram família de tantos, mas tantos descendentes, que a árvore genealógica até pode ser feita, mas de tão abrasileirada (e de norte a sul diferenciada) não importa mais tanto com quem o bisavô casou. Importa apenas que a família é grande, culturalmente muito rica, e que parentes se tornam todos, do Oiapoque ao Chuí (para quem não sabe, são estes nossos extremos territoriais, o mapa brasileiro da cabeça aos pés).

Mas uma gastronomia não vive apenas de tradições, registros esporádicos ou teses acadêmicas que a legitimem. A gastronomia, como qualquer outro elemento de cultura, vive de quem a faz, sobretudo de quem a faz conscientemente; vive de quem a defende, e viverá a gastronomia brasileira de quem realmente a valoriza!

E, assim, existem estudiosos, eventos e jornais que abrem espaço para notícias, crônicas, e que incentivam o debate nos livros, laboratórios, universidades, meios televisivos, assim como entre patrocinadores e incentivadores... A gastronomia brasileira vive em movimento, cotidiana e diversificada, como é próprio da cultura.

Então... Existe?! Bom, isso todos já sabiam que sim... De um jeito ou de outro, sim! Do nosso "jeito de ser" surgiu, sim, uma gastronomia brasileira. Não temos espaço para maiores justificativas, e tampouco isso vem ao caso agora; o que desejo mesmo é terminar com outra pergunta: e para quê serve?

E aí, prezado leitor, me permita dizer que a gastronomia, com uma identidade nacional, serve para "dar sentido à vida", serve para dar sentido de ter nascido num lugar que você reconhece pelo cheiro, pelo sabor, pelas lembranças que cada aroma traz ao lhe abrir as portas da alma; serve para você se sentir feliz, simplesmente feliz, ou seja, por compartilhar com outros um gosto de alegria. Em resumo diria ainda que a nossa gastronomia é a "gastronomia da felicidade", da festa, do receber e do celebrar a vida!

Agradecemos aos amigos que vieram para a festa e trouxeram seus causos – me refiro aos coautores dos textos deste livro; agradecemos aos colaboradores, e foram muitos; e ao patrocinador da edição inicial, a Tramontina.

Na panela da cultura pipocam alegrias com gosto de festa. Podem sentir os aromas? Vejam nas páginas a seguir como seus olhos – janelas para a alma – te levarão a um pedaço do mundo dos sentidos da gastronomia brasileira. Venha para a Festa!

INTRODUCTION

POR ANDRÉ BOCCATO

Is there such a thing as Brazilian gastronomy?

Notice that this question does not ask if there are good chefs, good restaurants or good food. This question is more about this currently used modern word which sums up the world of trained flavors, in other words: the senses related to taste.

Indeed, senses can and should be trained. If they are not, how could we distinguish nuances, influences and reminiscent tastes which only the intellect could give a reference to?

Is there such a thing as Brazilian gastronomy? We are not just talking about the cuisine, which is frequently (and unfairly) regarded as something created only to provide daily "sustenance". It seems that we also feed off ideas, concepts, thoughts...

Long live Brazilian gastronomy!! But does it exist? Are we but mere practitioners of Portuguese, African and native gastronomy, or maybe mixed bag of the former as seems to be our usual way of combining cultures from different countries?

It is needless to say that, as a country, Brazil is very young, nor should we try to compare our ways of being and eating with asians, europeans and other cultures that have existed for over 2,000 years. Yes, we are young, and you know what? It is for this very same reason that we have youth's adventurous smarts, the one that tells you to get the best out of everything without dismissing our own inventions, be it in the kitchen, industry, design, or any cultural aspect. Maybe this is the reason why us, just leaving our teenage years, have become a strong nation in a troubled world.

Experts such as Gilberto Freyre and Câmara Cascudo have registered the rich array of our gastronomy: recipes that were born on other continents that we brought, not unlike seeds through winds or boats, and were developed here in the wilds, and rediscovered and mixed with other members of our land, giving birth to many descendants. So many, actually, that even if you could draw the family tree, there are so many variants from North to South that it does not matter anymore who the great grandfather married with, but that it is a big family, culturally rich and everyone is a relative, from Oiapoque to Chuí (for those who do not know, these are the names of the most extremely opposite places in Brazil, from head to toe)

Still, a country's gastronomy does not live only through traditions, occasional entries on records or academic papers that make it legitimate. Gastronomy, just like any other cultural aspect, lives trough the ones who make it, mostly the ones who make it knowingly, those who protect it and who cherish it!

Therefore, there are the scholars, the events and newspapers which dedicate some space to articles, chronicles and encourage discussions, books, laboratories, universities, television, sponsors and boosters... Brazilian gastronomy is always changing, familiar and diversified, like culture itself.

So there is Brazilian gastronomy?! Well, everyone knew that, someway or another, yes, there is! There is Brazilian gastronomy in our "own way", but we do not have time for more reasoning, and that is not the point right now. My wish is to bring this to a conclusion with another question? What it is for?

Allow me to say at this point, my dear reader, that gastronomy with national identity helps giving meaning to our lives, meaning for being born in a place you know by its scent, its flavor, by each memory an aroma can bring. It makes you feel happy, simply happy, that is, happy for sharing these bites of happiness with others. To sum up, I would say that our gastronomy's symbols are happiness, parties, hospitality and enjoying life!

We thank our friends for coming to the party and brought stories to tell. I am referring to the co-authors of this book. We also thank our partners (which are many) and the sponsor for the first edition, Tramontina.

Joys are popping out of culture's pan and they taste like party. Can you smell their aromas? Come and see on the following pages how your eyes - windows to the soul - will take you to a slice of Brazilian gastronomy, a world of senses. Come to the party!

SUMÁRIO

CONTENT

BRASILIDADE 8
BRAZILIANNESS 16
POR / BY ANA CECÍLIA MAZZILLI

SUL 24
SOUTH 26
POR / BY LUIS FERNANDO VERÍSSIMO

SUDESTE 50
SOUTHEAST 54
POR / BY IGNÁCIO DE LOYOLA BRANDÃO

CENTRO-OESTE 82
MIDWEST 86
POR / BY SIRON FRANCO

NORDESTE 110
NORTHEAST 114
POR / BY ANA RITA DANTAS SUASSUNA

NORTE 138
NORTH 142
POR / BY THIAGO DE MELLO

BRASILIDADE
NOS CINCO CANTOS DO PAÍS

POR ANA CECÍLIA MAZZILLI

Original e saborosa: essa é a cozinha brasileira. A bagagem cultural dos diversos povos que formaram nossa identidade aliou-se, quase numa relação de cumplicidade, com os paladares da nossa terra. O caminho foi longo. É bastante complexa a formação das inclinações culinárias de um país que foi colônia, ainda mais com dimensões continentais como foi o caso do Brasil. O fato de Portugal ter sido seu colonizador enriqueceu esse processo.

À época da expansão marítima do século XVI, era notável o cosmopolitismo português: a estratégica condição geográfica de Portugal rendera-lhe o convívio com os mais variados povos, pois fazia o intercâmbio cultural entre Europa, África e Oriente. Foi inevitável o reflexo na mesa portuguesa, que já tinha a tradição de bem comer, fato, aliás, comum aos países mediterrâneos. Num segundo momento, essa mesa contou com as especiarias das terras mais longínquas que suas valentes caravelas conseguiam alcançar. Além disso, o largo período da invasão árabe na Península Ibérica deixou sua marca valiosa no povo lusitano, não apenas na arquitetura como na alimentação. Ainda houve a influência nórdica, que conquistou definitivamente o paladar português com o bacalhau, produto que acompanhou até mesmo as viagens dos grandes descobrimentos.

Foi esse destemido povo, de cultura e paladar ecléticos, que aqui aportou. Além de serem os portugueses verdadeiros distribuidores de espécies alimentares, imprimiram em nós sua característica tão peculiar de saber conciliar

diferenças e experimentar todos os sabores. Com eles, também fizemos importantes permutas alimentares. Apenas para mencionar uns poucos exemplos, nossos cajueiros hoje florescem na Índia, enquanto mangueiras e coqueiros asiáticos tornaram-se bem brasileiros em nossos quintais ou praias...

O colonizador chegou com propósito diferente em cada lugar: em Pernambuco, tornou-se senhor de engenho; no sertão nordestino, foi fazendeiro de gado; em São Paulo e Minas, buscou riquezas minerais; no Rio de Janeiro e no Maranhão, lutou contra invasores; no Norte, quis encontrar suas especiarias na magnífica floresta; no Centro-Oeste, alargou nossas fronteiras; no Sul, estendeu seus domínios até a foz do Rio da Prata, assim controlando o mercado de couro e sebo em toda a região. Por causa dessa diversidade de propósitos, os confrontos com os índios e outros europeus aconteceram sempre por razões diferentes em cada lugar. Eram muitas as tribos indígenas encontradas. Não eram as mesmas as condições da terra nem o que se produzia aqui e ali. Em cada conquista, as relações de convívio diferiam: as assimilações, as trocas de conhecimento, os recursos alimentares... Só uma coisa era constante: a presença da mandioca. No mais, tudo inédito – frutos, peixes, caças. Enfim, um novo cardápio.

Nossa colonização foi inicialmente baseada no cultivo da cana-de-açúcar, fortalecendo uma sociedade patriarcal e escravagista. Como o indígena ficou à margem do sistema produtivo, a mão de obra nos canaviais recaiu sobre os escravos africanos, já habituados ao trabalho agrícola. Os portugueses exploravam há tempo o mercado africano de escravos, recrutados entre diferentes regiões e etnias, para assim dificultar rebeliões e motins – que, não obstante, foram muitos. O terrível tráfico trouxe angolanos, moçambicanos, bantos, hauçás, sudaneses... Cada qual com suas tradições, suas diferenças, suas preferências alimentares. Mas sempre com talento culinário, com o conhecido tempero da senzala e com a criatividade das preta-minenses, grandes quituteiras. A vida nos engenhos exigiu, assim, um trabalho conjunto de povos bastante heterogêneos. A colonização portuguesa, porém, viabilizou a miscigenação, não só racial como cultural. Seguiu-se um mosaico de vertentes gastronômicas, de raiz lusitana, que nos legou a aguardente e delícias como doces e bolos, que dão renome, até hoje, à Terra do Açúcar.

Nos séculos XVII e XVIII, a exploração de ouro e diamantes provocou um novo ciclo econômico. Surgiram outros grupos sociais, com traços culturais igualmente distintos. A febre do ouro, porém, trouxe o abandono das lavouras, com repercussões diretas nos hábitos alimentares. Assim, o fácil transporte dos grãos e a rapidez de sua produção fizeram do milho e de sua farinha a base da dieta bandeirante. Nessa época, foi intensa a migração para Minas Gerais. Brasileiros de outras regiões povoaram suas ricas montanhas e aprenderam a saborear o feijão, o angu, a couve.

Com a decadência da mineração e com a abolição da escravatura, seguiu-se um renascimento agrícola, acompanhado da vinda de grandes levas de imigrantes, principalmente para a região cafeeira. O Sudeste e o Sul receberam italianos, japoneses, alemães, espanhóis, franceses, poloneses, húngaros, árabes, ucranianos, belgas, suíços, pomeranos... A cozinha ganhou novo e variado alento. Nosso povo continuou sua vocação plural, sabendo lidar com a diversidade, combinando tradições e pratos. Enriqueceu-se a culinária, com a miscigenação também nas panelas, que tomaram rapidamente um sotaque que incluía português, tupi, guarani, caipira, quimbundo e expressões de outras línguas! O mais interessante é que, desse amálgama, o Brasil ganhou identidade própria.

Vejamos o Nordeste – da boa rapadura, do pé de moleque, do mungunzá, do caruru, do vatapá, do bobó, do acarajé, do bode, do baião de dois, da carne de sol com macaxeira, da cabidela, do capote, da tapioca, do queijo de coalho, da manteiga de garrafa, do licor de jenipapo... O solo de Pernambuco continua açucarado. A comida baiana ainda ocupa os tabuleiros: é quente, apimentada e da cor do dendê. Aumentam o prestígio da região o boi do Piauí, o arroz do Maranhão, a lagosta do Ceará, o abacaxi da Paraíba, o maracujá de Alagoas, o siri de Sergipe, o sal, o camarão e o jerimum do Rio Grande do Norte.

No Sudeste, provincianismo e cosmopolitismo sentam-se lado a lado na mesa paulista, que exibe suas joias culinárias: cuscuz, viradinho, azul-marinho, afogado, buré, escaldado de cambuquira, ao lado da macarronada, da pizza, dos pastéis, da esfirra, do coq au vin, do sushi... Aceita uma caipirinha de aperitivo? E um café, ao final? A cozinha fluminense preserva a tradição portuguesa do cozido e dos pastéis-de-belém bem juntinhos da feijoada, dos peixes, dos petiscos à beira-mar e das comidas da serra. A culinária capixaba continua fiel à moqueca feita na panela de barro, à banana-da-terra com açúcar e canela, mas coleciona sabores novos, como, por exemplo, os deliciosos morangos nas tortas, geleias, bolos e licores em Pedra Azul. A comida das Gerais continua sem pressa, como todo bom mineiro, bem aproveitando os tesouros da sua cozinha: o leitão pururuca, o frango com quiabo, o lombo e o tutu. E mais: o queijo, o pão de queijo, as quitandas, devidamente acompanhados do cafezinho, do licor de jabuticaba. Nada como uma boa prosa nessa mesa!

E o Sul? O Paraná – a terra com sabor de pinhão – contribui com a cambira, a erva-mate, o barreado, o carneiro no buraco, o porco no rolete, bem pertinho do frango com polenta, do pierogi ou do knedle... Santa Catarina retira de seu belo litoral os peixes e frutos do mar, sem se esquecer das delícias alemãs como o marreco recheado ou o strudel de maçãs! No Rio Grande do Sul, o arroz de carreteiro faz-nos lembrar dos peões gaúchos, na sua lida solitária dos pampas. O prato de todos os dias era o churrasco preparado em "fogo de chão": a carne era espetada em ripas de madeira e assada sobre um braseiro, feito na terra. Ainda hoje, a arte do churrasco suculento não dispensa os goles de chimarrão. Mas nem só o churrasco e o chimarrão se destacam na região. O conhecimento vinícola dos imigrantes italianos permitiu-lhes a notável indústria do vinho. O final da tarde é o momento dos doces cheios de capricho, de Pelotas, ou de um generoso pedaço das deliciosas cucas. Bem-vindo ao Sul!

Já no Norte, os peixes têm lugar à parte: o tambaqui, o pirarucu, o tucunaré, o matrinxã – na brasa, cozidos, fritos, em caldeiradas ou assados, saboreados com a admirada farinha de Uarini. Temos ainda o tucupi, o tacacá, a maniçoba, a pupunha, o buriti, o jambu, o cupuaçu, o açaí, a castanha-do-pará, o guaraná, o tucumã, o patauá, o taperebá, o camu camu – alimentos que envaidecem todo o Brasil graças a seus sabores únicos de floresta. Todos eles estão presentes no Acre, no Amapá, no Amazonas, no Pará, em Rondônia, em Roraima ou em Tocantins, onde também é fabuloso o arroz cerigado.

Adentremos o Centro-Oeste. A Natureza pródiga é um prato cheio! Chapadões, Cerrado, Pantanal... Os peixes são peculiares: piranhas, pintados, dourados, curimbatás, pacus. Lá, onde se fez nossa Capital, há outro reduto da boa comida brasileira. O Distrito Federal reúne brasileiros de muitas regiões: seja na mesa simples, reminiscência dos tempos dos candangos, seja na mesa farta, contraponto dos banquetes da República! Goiás comparece com os doces da poetisa Cora Coralina, com o empadão, a pamonha, o pequi, a guariroba. Mato Grosso do Sul mostra seus maiores rebanhos: aceita uma ponta de costela ou prefere uma linguiça de maracaju? Mais acima, está o Mato Grosso: já experimentou feijão empamonado, furrundu, pixé? São delícias da mesa cuiabana!

Nessa cozinha eclética, que tem a marca de todas nossas regiões, a mistura de ingredientes acabou fazendo parte da nossa tradição cultural.

Assim como a cultura, que não conhece limites, também as diferenças regionais de nossa cozinha não têm fronteiras geográficas definidas. Variam nos seus ingredientes, muitos deles exclusivos do lugar de origem. Já tentou encontrar um ora-pro-nóbis no Amazonas ou no Rio Grande do Sul? Mas a técnica de preparo da comida, o uso do refogado, a mistura do arroz com feijão, o acompanhamento da farinha – tudo isso está na mesa de todos os brasileiros! Hoje, temos que pensar além dos limites físico-territoriais de cada região, sabendo que tudo isso é patrimônio de todos nós. Cabe-nos proteger e preservar essa diversidade com que fomos aquinhoados. No entanto, não podemos nos esquecer de que o progresso anda muito depressa, muitas vezes atropelando tradições. Por isso mesmo é importante que estejamos atentos a todos os aspectos de nossa cultura, valorizando a culinária, obra de arte do nosso povo.

O livro Sabores Brasileiros segue a tendência de cuidar do que é nosso. Dividido em cinco partes, correspondentes às regiões brasileiras, enaltece seus pratos mais expressivos e emblemáticos. Abre cada região o depoimento de um filho ilustre da terra, que guardou com carinho os aromas e os gostos dessa comida querida, registrados nas suas lembranças da infância. Assim, contando com a editoria de qualidade de André Boccato, os autores Ana Rita Dantas Suassuna, Ignácio de Loyola Brandão, Luis Fernando Veríssimo, Siron Franco e Thiago de Mello nos relatam, com elegantes memórias, a intimidade dos sabores regionais.

E quem de nós não tem uma memória saborosa dos tempos de criança? Os assados cheirosos dos bolos e carnes, os doces prediletos, os perfumes exalados pelas frutas na sua calda ao fogo... Esse doce sabor de passado, que mantém a fragrância dos pratos da infância, continua a falar ao nosso paladar todas as vezes que voltamos às velhas receitas e com elas presenteamos as nossas crianças. Com isso, um dia elas também terão a lembrança dos bons tempos em que experimentaram esses manjares. Eis a razão pela qual esses perfumes devem ser sempre atuais.

BRAZILIANNESS
ACROSS THE FIVE REGIONS

BY ANA CECÍLIA MAZZILLI

Original and tasty: this is Brazilian cuisine. The cultural heritage with a variety of people that built our identity and conspired with the flavors of this land. It was a long road. The creation of a national cuisine in a colonized country is complex, even more so in a country of continental proportions like Brazil. The fact that Brazil was colonized by the Portuguese enriched this process.

At the time of sea-faring expansion in the 16th century, Portuguese cosmopolitanism was notable: Portugal's strategic geography gave it contact with the most diverse peoples, as it was the crossroads between Europe, Africa and the East. Inevitably, this was reflected on the Portuguese table, which already had a tradition of eating well, incidentally common to Mediterranean countries. Later, this table included the spices of far-away lands that its valiant caravels were able to reach. In parallel, the long period of Arab occupation of the Iberian Peninsula left its valuable mark on the lusophone people, not just in its architecture, but in its food. There was also a Norse influence, which permanently conquered the Portuguese palate with salt-cured cod fish, a product that accompanied even the voyages of great discoveries.

It was this fearless people, of eclectic culture and tastes, which set anchors here. In addition to being veritable distributors of foods, the Portuguese imprinted on us their so particular characteristic of being able to reconcile

differences and experiment with all flavors. With them, we also made important food exchanges. Just to cite a few examples, our cashew trees today flower in India, while Asian mango and palm trees have become truly Brazilian in our yards and on our beaches.

The colonizer came with a different purpose in each place: in Pernambuco, he became lord of the plantation; in the northeast hinterland, he was a cattle rancher; in São Paulo and Minas Gerais, he sought gold and diamonds; in Rio de Janeiro and Maranhão, he fought against invasion; in the north, he wanted to find spices in the magnificent forest; in the mid-west, he expanded his frontiers; in the South, he expanded his reign to the Delta of Prata River, thus controlling the leather and tallow market throughout the region. Because of this diversity of purpose, conflicts with Indians and other Europeans happened for reasons that were different in each place. Many indigenous tribes were found. Neither the soil nor its crops were the same throughout the colony. In each conquest, the relations with indigenous peoples differed: assimilation, exchanging knowledge and foods... Just one thing was constant: manioc. Moreover, everything was new – fruits, fish, and game. A new menu.

Our colonization was initially based on sugarcane crop, strengthening a slave-owning patriarchal society. Because indigenous peoples remained on the margins of the productive system, labor in the sugarcane plantations was left to African slaves, already accustomed to agricultural labor. The Portuguese had for some time participated in the African slave trade. Slaves were stolen from different regions and ethnicities to complicate rebellion and uprisings – which, nonetheless, were not uncommon. The terrible trade brought Angolans, Mozambicans, Bantos, Hausas, Sudanese... Each had his own traditions, his differences, his eating habits. But these always included culinary talent, with the beloved seasoning of the slave quarters and the creativity of the slave women, great cooks. Life on the plantations required teamwork among very heterogeneous peoples. Portuguese colonization, however, made miscegenation possible: not just racial but cultural. From this was born a mosaic of gastronomical styles, with a lusophone root that left us "cachaça" and other delights like sweets and cakes that make the Land of Sugar renowned even today.

In the 17th and 18th centuries, the gold and diamond rushes provoked a new economic cycle. Other social groups arose, with equally distinct cultural traits. The fever for gold, however, caused general abandonment of the plantations, with direct effects on eating habits. Thus, the easy transportation of grains and the quickness of their production made corn and its flour the base of the explorer's diet. At this time, there was intense migration to Minas Gerais. Brazilians from other regions peopled the state's richest mountains and learned to eat beans, polenta (popularly called angu) and collard greens.

When mining declined and with the abolition of slavery, there was an agricultural revival, following the arrival of waves of immigrants, chiefly to the coffee growing areas. The southeast and south received Italians, Japanese, Germans, Spaniards, Frenchmen, Polish, Hungarians, Arabs, Ukrainians, Belgians, Swiss and Pomeranians: Brazilian culinary took on a new, varied flavor. Our people maintained its gift for plurality, knowing how to face diversity, combining traditions and dishes. Brazilian cuisine was enriched with the miscegenation in the pots as well, which quickly gained an accent that mixed Portuguese, Tupi, Guarani, African and others. The most interesting fact is that from this melting pot, Brazil formed its own identity.

Look at the northeast – from the good molasses, peanut brittle, canjica, caruru, vatapá, bobó, acarajé, goat, Baião de dois rice, sun dried jerked beef with manioc, chicken in blood sauce, cornish hen, tapioca, coalho cheese, clarified butter, genipapo liquor. The soil of Pernambuco is still sweet. Bahian food is still on the table: it's hot, spicy and colored by dendê palm oil. Increasing the prestige of the region are kettle from Piauí, rice from Maranhão, lobster from Ceará, pineapple from Paraíba, passion fruit from Alagoas, crab from Sergipe, salt, shrimp and pumpkin from Rio Grande do Norte.

In the southeast, provincial and cosmopolitan sit side by side on the São Paulo table, which exhibits is culinary jewels: cuscuz, refried beans, plantain and fish stew, beef stew, cream of corn soup, pumpkin sprout egg soup, side by side with spaghetti, pizza, pastries, sfihas, coq au vin, sushi... Would you like a caipirinha to start? Or a coffee to finish? Rio de Janeiro offers dishes from the Portuguese tradition of roasting, cream puffs and feijoada, as well as fish, appetizers from the sea or foods from the mountains. Cuisine in Espírito Santo remains faithful to the fish stew made in a clay pot, plantains with cinnamon sugar, but adds new flavors like, for example, delicious strawberries featured in pies, jams, cakes and liquors in Pedra Azul. The food of Minas Gerais is still slow, like their people, taking advantage of the treasures of this kitchen: suckling pig, chicken with okra, pork loin and refried beans. And more: cheese, cheese rolls, the street vendors' carts duly accompanied with coffee, jaboticaba liquor. Nothing like a good story telling at this table!

RIO DE JANEIRO

SAMBÓDROMO DA MARQUÊS DE SAPUCAÍ / *SAMBADROME, PRESENTATION OF MARQUÊS DE SAPUCAÍ*

And the south? Paraná, the land with the flavor of araucaria pine nuts, offers its fish stew, erva-mate, beef casserole, pit-cooked lamb, roasted pig, together with chicken and polenta, pierogi, knedle... Santa Catarina's ingredients come from its beautiful coast filled with fish and sea food, and from the German delicacies like stuffed duck or apfelstrudel. In Rio Grande do Sul, jerked beef rice reminds us of the cowboys (Gauchos) in their solitary life on the plains. The daily meal was churrasco (Brazilian barbecue) prepared in a fire pit called fogo de chão: the meat was spitted with strips of wood and roasted over coals in the earth. Even today, the art of juicy churrasco is always accompanied by swigs of chimarrão. But the region offers more than just chimarrão and churrasco. Italian immigrant's knowledge of wine gave rise to the notable wine industry in the south. The end of the day is the perfect time for sweets from Pelotas, made with care, or a generous slice of the delicious coffeecakes. Welcome to the South!

In the north, freshwater fish hold the place of honor: the giant pacu, the arapaima, the cichla, the brycon – on the grill, cooked, fried, in stews or baked, savored with the revered sour manioc flour, or Uarini flour. There is also wild manioc sauce, Amazon paracress soup, peach-palm fruit, Moriche palm, paracress, cupuaçu fruit, açaí, Brazil nuts, guaraná, tucumã palm, patawa palm, cajá fruit, camu camu – foods that all of Brazil is proud of for their unique tropical flavors. All of these foods are available in Acre, Amapá, Amazonas, Pará, Rondônia, Roraima and Tocantins, where you can also find the fabulous rice cirigado.

Further inland is the midwest. Nature's bounty makes up for a full plate! Mountains, savannah, Pantanal... And the freshwater fish are peculiar: piranhas, pintados, catfish, flannel-mouthed characins, pacus. There, where our capital stands, is another outpost of good Brazilian food. The Federal District gathers Brazilians from many regions: be it on a simple table, reminiscent of the times of the Portuguese adventurers, be it a full table, to rival national banquets. Goiás participates with the candies of poetess Cora Coralina, with the pot pie, tamales, souari nut and guariroba palm. Mato Grosso do Sul displays its largest herds: would you like a beef rib or a maracaju sausage? Further north is Mato Grosso: have you ever had refried beans with bacon and manioc, papaya compote, corn flour with cinnamon sugar? These are some of the delicacies of Cuiabá!

In this eclectic kitchen, with its regional peculiarities, the mixture of ingredients has become a part of our cultural tradition.

Just like culture, which has no limits, the regional variations of our cuisine do not have clear geographic borders. Ingredients may vary, as many are only found at their place of origin. Have you ever tried to find Barbados gooseberry in the Amazon or in Rio Grande do Sul? But the food preparation technics – using sautéed ingredients and the combinations of rice and beans, the toasted manioc flour as a side dish: all these things are on every Brazilian table! Today, we have to think beyond the physical borders of each region, knowing that all these things are a heritage for all of us. We must protect and preserve this diversity that we were blessed with. However, we cannot forget that progress happens quickly, often trampling tradition. For this reason, it is important that we always be attentive to all aspects of our culture, appreciating our cuisine, a national work of art.

The book "Brazilian Flavors" follows the trend of preserving what is ours. Divided into five sections corresponding to Brazilian regions, the book celebrates their most emblematic and traditional dishes. Each region is opened with an introduction from an illustrious native son who has lovingly kept the smells and tastes of this dear food, registered in his or her childhood memories. With the excellent editing of André Boccato, the authors Ana Rita Dantas Suassuna, Ignácio de Loyola Brandão, Luis Fernando Veríssimo, Siron Franco and Thiago de Mello introduce each section with elegant memories and their intimacy with regional flavors.

And who among us doesn't have a tasty memory from their childhood? The smells of roasted meats and cakes, favorite sweets, the cherished scents of fruits simmering in their juice over low heat... This sweet flavor of the past, which maintains the fragrance of our favorite childhood dishes, continues to speak to our palate every time we go back to the old recipes and with those, we gift our children. With this, one day they will also have the memories of these good times when they first tasted these wonderful dishes. This is why these perfumes should always be preserved.

Luis Fernando Veríssimo nasceu em Porto Alegre (RS). Aos 16 anos foi morar nos EUA, onde aprendeu a tocar saxofone, hábito que cultiva até hoje – tem um grupo, o Jazz 6. É jornalista, mas "do tempo em que não precisava de diploma para exercer a profissão". Além de ter textos de ficção e crônicas publicados em vários jornais e revistas (Folha de São Paulo, O Estado de São Paulo e Globo, entre outros), Luis Fernando Veríssimo participou também de programas de televisão, criando quadros para o programa Planeta dos Homens, na Rede Globo, e fornecendo material para a série Comédias da Vida Privada, baseada em livro homônimo. É um dos mais respeitados cronistas brasileiros, autor de vários best-sellers, entre eles os inesquecíveis O Analista de Bagé (1981), Comédias da Vida Privada (1994) e Gula – O Clube dos Anjos (1998).

SUL

POR LUIS FERNANDO VERÍSSIMO

Confissão: na nossa casa quem faz o churrasco é a minha mulher. Que, para minha maior desmoralização, além de mulher, é carioca. Assim, os segredos de um bom assado – como e quando usar o sal grosso, a distância ideal das brasas, os diferentes cortes e suas particularidades – são para mim tão indecifráveis quanto os de uma fórmula cabalística.

O churrasco predomina, mas não resume a culinária gaúcha, claro. Na própria cultura do churrasco há pormenores que nem todo o mundo conhece. Por exemplo: o matambre, que tem esse nome ("mata hambre", ou mata fome) porque é uma carne tão dura que os gaúchos só recorriam a ela quando a alternativa era morrer de fome. Amolecido no leite, no entanto, e servido, frio ou quente, como uma espécie de rocambole de carne misturada com ervas, o matambre vira um prato finíssimo.

O arroz de carreteiro pode ser com charque, ou carne-seca, ou com linguiça. Discute-se qual é a versão mais autêntica. O que não pode variar é a consistência do arroz, que deve ser lustroso como cabelo de cantor de tango. Chama-se o arroz "de carreteiro" porque é fácil de fazer em qualquer circunstância, inclusive num fogo improvisado de beira de estrada por carreteiros solitários.

Muito se comenta o surpreendente sucesso da cozinha japonesa no Rio Grande do Sul. Porto Alegre tem até um drive-thru só de sushi. Gaúcho comendo peixe cru? Quem diria? Mas, historicamente, não era tão grande assim a aversão ao peixe no Estado. Há pratos como a tainha recheada com farofa de pinhão que fazem parte da nossa tradição gastronômica. E, afinal, os japoneses só estão fazendo o que fizeram outras correntes de imigrantes, cujas cozinhas típicas se estabeleceram como alternativas para a cozinha gaúcha – se bem que seja difícil imaginar o sashimi substituindo a picanha, um dia.

Na zona de colonização alemã come-se marreco com repolho roxo e purê de maçã, entre outras delícias germânicas. De sobremesa, sagu de uva ou apfelstrudel. Na categoria dos doces, uma das glórias da culinária alemã é a cuca. Autobiografia: minha avó materna fazia grandes cucas.

Certa vez, uma cuca que tinha sido guardada no dia anterior amanheceu sem a parte de cima. Toda a cobertura de açúcar granulado simplesmente desaparecera durante a noite. Mistério. Eu devia ter uns dez anos, e dei meu palpite. A cuca teria sido atacada por um rato. Alguém perguntou: "Mas por que um rato comeria só a cobertura de açúcar?" "Porque é a melhor parte!", respondi. Meu entusiasmo me denunciou. O rato era eu.

Nas áreas ocupadas pelos italianos, estamos no que poderia ser chamado de "Circuito da sopa de capelletti". Não há refeição que não comece com uma sopa de capelletti, que é um brodo com massa no formato de chapeuzinhos. Também não pode faltar o galeto. Dizem que os imigrantes trouxeram da Itália o hábito de comer passarinhada e, nos primeiros anos da colonização, quase dizimaram os pássaros da região. O galeto foi criado para substituir os pássaros. São sacrificados logo depois do primeiro pio – e por isso chamados de galetos al primo canto – para salvar seus irmãos.

Luis Fernando Veríssimo was born in Porto Alegre, Rio Grande do Sul State. At 16, he moved to the United States, where he learned to play saxophone, which he continues even today as part of his band, Jazz 6. He is a journalist, but "from the time when you didn't need a degree to join the profession." In addition to fiction and collections published in several newspapers and magazines (Folha de São Paulo, O Estado de São Paulo and Globo, among others), Luis Fernando Veríssimo has also participated in television shows, creating sketches for the program Planeta dos Homens on the Globo network, and supplying material for the TV series Comédias da Vida Privada, based on the book by the same name. He is one of the most respected Brazilian columnists, author of several best sellers, including the unforgettable O Analista de Bagé (1981), Comédias da Vida Privada (1994) and The Club of Angels (published in English in 2008).

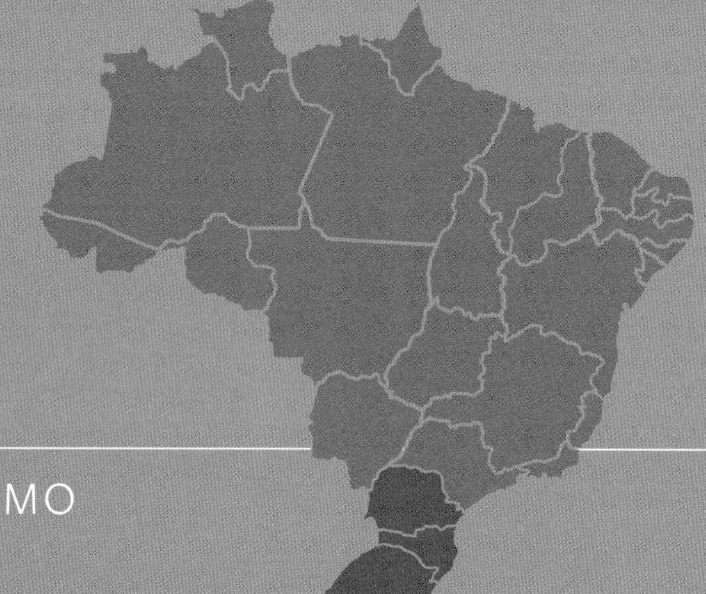

SOUTH

BY LUIS FERNANDO VERÍSSIMO

I confess: at my house, it's my wife that prepares the churrasco (**Brazilian barbecue**). And, to make matters worse, not only is she a woman, but born at Rio de Janeiro. So the secrets of good roast meat – how and when to use the kosher salt, the ideal distance from the charcoals, the different cuts and their peculiarities – are as meaningless to me as a Kabalistic formula.

Churrasco is a must but it doesn't cover all of Gaucho's cuisine, of course. Even within the churrasco culture, there are details that not everyone knows. For example, the matambre, so called ("mata hambre" or hunger killer) because the meat is so hard that Gauchos would only eat it when the alternative was starvation. Tenderized in milk, however, and served hot or cold like a meat roll with herbs, the matambre becomes a delicacy.

Our cowboy's rice with jerked meat can be with salted, or sun dried jerked beef, or even sausage. There is question about which one is more authentic. What cannot change is the consistency of the rice, which must shine like the hair of a tango singer. It is called "cowboy's rice" because it is easy to make on any circumstance, including over an improvised roadside fire by lonely travelers.

Many talk about the surprising success of Japanese food in Rio Grande do Sul. Porto Alegre even has a sushi drive-thru. The Gauchos eating raw fish? Who would have imagine that? But, historically, there hasn't been so much aversion to fish in this region. There are dishes like mullet stuffed with araucaria pine nuts and manioc flour that are part of our culinary tradition. And, after all, the Japanese are just doing what other immigrants have done, establishing their typical dishes as alternatives to Gaucho's foods – even if it is hard to imagine sashimi substituting rump steak one day.

In the areas colonized by Germans, you can eat a sautéed of red cabbage and apple sauce, among other German delicacies. For dessert, red wine tapioca or apfelstrudel. In the sweets category one of the glories of the German culinary is the coffeecake. Autobiography: my maternal grandmother used to make excellent coffeecakes.

Once a coffeecake, carefully put away the night before, was found without its top in the morning. All the granulated sugar topping had simply disappeared during the night. A mystery. I must have been about 10 years old and I gave my best guess. The coffeecake had been attacked by a rat. Someone asked, "But why would a rat only eat the sugar topping?" "Because it's the best part!" I answered. My enthusiasm gave me away. The rat was me.

In regions with strong Italian immigration we are in an area that could be called the "Capelleti Soup Circuit." There is no meal that doesn't begin with Capelleti Soup, which is a broth with pasta in the shape of little hats. You also can't miss the Galeto (cornish hen). Some people say that the immigrants brought from Italy the habit of eating small birds and in the first years of colonization, they decimated the birds of the region. The young chicken was created to substitute the birds. They are slaughtered shortly after their first cluck, and for this they are called Galetos al Primo Canto – to save their siblings.

RIO GRANDE DO SUL

CAMPO DE TRIGO AMADURECENDO / *FIELD OF WHEAT*

SANTA CATARINA

PRAIA DE QUATRO ILHAS / *FOUR ISLAND BEACH*

PARANÁ

PINHEIRO BRASILEIRO, NO PÔR DE SOL / *BRAZILIAN PINE, AT SUNSET*

RIO GRANDE DO SUL - CHURRASCO CAMPEIRO, FOGO DE CHÃO NO GALPÃO / *CAMP* CHURRASCO (BRAZILIAN BARBECUE), *PIT FIRE*

SANTA CATARINA

PARQUE NACIONAL DE SÃO JOAQUIM / *SÃO JOAQUIM NATIONAL PARK*

SANTA CATARINA

PONTE HERCÍLIO LUZ, EM FLORIANÓPOLIS / HERCÍLIO LUZ BRIDGE, IN FLORIANÓPOLIS

SANTA CATARINA

CAMPOS DE BOM JARDIM DA SERRA / *FIELDS OF BOM JARDIM DA SERRA*

ARROZ DE CARRETEIRO

Cowboy's Rice with Jerked Beef

INGREDIENTES

> 1 kg de charque ou frescal
> 4 colheres (sopa) de azeite de oliva
> 2 cebolas grandes picadas
> 4 dentes de alho picados
> 1 folha de louro
> 2 e 1/2 xícaras (chá) de arroz branco fino
> 2 tomates sem pele e sem sementes picados
> 5 xícaras (chá) rasas de água fervente
> sal e pimenta a gosto

PREPARO

Se usar charque, afervente a carne trocando uma vez a água. Deixe de molho na geladeira por uma noite para dessalgar. Se usar frescal, lave bem a peça e retire todo o excesso de sal. Seque bem com um papel-toalha e deixe descansar por 1 hora na geladeira. Retire qualquer gordura excedente da carne e pique em cubos de aproximadamente 1 cm. Reserve. Em uma panela grande, despeje metade do azeite e refogue a cebola, depois o alho, até amolecer. Reserve. Na mesma panela, refogue bem a carne, com o restante do azeite e o louro, até dourar. Devolva os temperos à panela e junte o arroz e os tomates picados para fritar por alguns minutos. Coloque água fervente (esta deve cobrir os ingredientes com sobra de aproximadamente um dedo). Ajuste sal e pimenta e deixe cozinhar em fogo baixo, até a água secar e o arroz ficar macio.

* RENDIMENTO: 18 porções

* TEMPO DE PREPARO: 40 minutos

INGREDIENTS

> 1 kg sundried or salted jerked beef
> 4 tbsp olive oil
> 2 large onions, chopped
> 4 cloves garlic, diced
> 1 bayleaf
> 2 1/2 cups fine white rice
> 2 tomatoes, skinned, de-seeded and chopped
> 5 cups boiling water
> salt and pepper to taste

DIRECTIONS

If using sundried jerked beef, boil meat, changing the water once. Leave in refrigerator, soaking for one night to desalt. If using salted jerked beef, wash the meat well and remove excess salt. Dry well with paper towels and allow to rest for 1 hour in the refrigerator. Remove any excess fat and cut into cubes of approximately 1 cm. Set aside. In a large pot, sauté onions in half the olive oil, followed by garlic, until soft. Set aside. In the same pot, brown meat with the remaining olive oil and bay leaf. Return onion and garlic to pot and add rice and chopped tomatoes to brown for a few minutes. Add enough boiling water to cover all ingredients in approximately 1 inch of water. Salt and pepper to taste and cook over low heat until water has evaporated and rice is cooked.

** SERVING: 18 portions*

** PREP TIME: 40 minutes*

BARREADO

Pulled Beef Stew

INGREDIENTES

> 1 kg de carne bovina magra (paleta, peito, coxão mole)
> 400 g de bacon
> 3 cebolas médias cortadas em 4 pedaços cada
> 5 tomates sem pele
> 1 pitada de cominho e de orégano
> 1 maço de cheiro-verde
> 2 folhas de louro
> 1 talo de salsão ou aipo
> 1 talo de alho-poró
> 1 colher (sopa) de vinagre de maçã ou de vinho tinto
> 4 dentes de alho
> 1 pimenta dedo-de-moça (sem sementes)
> água ou caldo de carne para o cozimento
> sal e pimenta-do-reino a gosto

PREPARO

Corte a carne em cubos de aproximadamente 3 cm e o bacon em cubos menores, de mais ou menos 0,5 cm. Disponha as carnes e os temperos picados em uma panela de barro, da seguinte forma: uma camada de bacon e temperos, uma camada de carne e temperos e assim por diante. Depois de tudo arrumado, jogue por cima a água (ou o caldo de carne) e o tempero que sobrou. A quantidade de líquido dependerá da forma em que for cozido o barreado, conforme segue.

Da maneira tradicional

Acrescente líquido suficiente para cobrir todos os ingredientes. Tampe a panela e "barreie", isto é, calafete a tampa com uma massa feita de farinha de mandioca e água fria (angu). Ponha a panela em fogo brando, no mínimo, por 10 horas. Comece na véspera e depois continue pela manhã até a hora de servir. Sempre que escapar vapor pela tampa, tenha o cuidado de "barrear" com angu de farinha.

Na panela de pressão

Acrescente uma xícara (chá) de líquido, tampe a panela e deixe ferver em fogo baixo. Após 60 minutos, desligue o fogo e abra a panela com os cuidados necessários. Verifique se a carne desmanchou, caso contrário volte ao fogo acrescentando um pouco mais de líquido, se necessário.

* RENDIMENTO: 4 porções

* TEMPO DE PREPARO: 1 hora e 50 minutos

PULLED BEEF STEW

INGREDIENTS

> *1 kg lean beef (blade steak, brisket or round steak)*
> *400 g bacon*
> *3 medium onions, quartered*
> *5 tomatoes, skinned*
> *pinch cumin and oregano*
> *1 bunch parsley*
> *2 bay leaves*
> *1 celery stalk*
> *1 leek stalk*
> *1 tbsp apple or red wine vinegar*
> *4 cloves garlic*
> *1 red chili, deseeded*
> *water or beef stock for cooking*
> *salt and pepper to taste*

DIRECTIONS

Cut meat into 3 cm cubes and bacon into 1/2 cm cubes. Place meats and chopped seasonings in a clay pot, as follows: one layer of bacon and seasonings, one layer of meat and so on. After arranged, add water or stock and remaining seasonings. The amount of liquid will vary according to the cooking method, as follows:

Traditional

Add enough liquid to cover all ingredients. Cover and seal with dough made of manioc flour and cold water (like a glue). Cook over low heat for at least 10 hours. Begin the day before and continue through the morning until ready to serve. Whenever steam escapes, seal with manioc and water mixture.

Pressure cooker

Add a cup of liquid, close and let it boil under pressure over low heat. After 60 minutes, remove from heat and open carefully. If the meat has not begun to fall apart, return to heat, adding liquid if necessary. Serve over manioc flour and banana slices, which can be raw or cooked in their own juice.

** SERVING: 4 portions*

** PREP TIME: 1 hour, 50 minutes*

GALETO AL PRIMO CANTO

Galeto al Primo Canto

INGREDIENTES

> 2 galetos pequenos
> suco de 1 limão
> sal a gosto

Molho

> 1 tomate grande picado
> 1 cebola picada
> 1 dente de alho picado
> 1 colher (chá) de sálvia picada
> 1 colher (chá) de alecrim picado
> 1 colher (chá) de manjerona picada
> 1 colher (sopa) de cheiro-verde picado
> 1/4 de xícara (chá) de vinho branco seco
> 2 colheres (sopa) de azeite de oliva
> sal e pimenta a gosto

PREPARO

Lave bem os galetos, corte-os em pedaços, tempere com limão e sal e deixe marinar. Enquanto isso, prepare o molho, misturando, em uma tigela, o tomate, a cebola, o alho, a sálvia, o alecrim, a manjerona, o cheiro-verde, o vinho branco, o azeite, sal e pimenta. Reserve. Asse os galetos na churrasqueira ou no forno, por aproximadamente 20 minutos. Retire do forno quando o galeto começar a dourar, regue com um pouco do molho e retorne para dourar, por aproximadamente mais 5 minutos. Repita o procedimento, se necessário. Sirva acompanhado do molho reservado, polenta grelhada, salada de radite (almeirão) com bacon e cebola temperada com vinagre de vinho tinto.

* RENDIMENTO: 2 porções

* TEMPO DE PREPARO: 1 hora

INGREDIENTS

> 2 small cornish hens
> juice of 1 lime
> salt to taste

Sauce

> 1 large tomato, chopped
> 1 onion, chopped
> 1 clove garlic, diced
> 1 tsp sage, chopped
> 1 tsp rosemary, chopped
> 1 tsp marjoram, chopped
> 1 tbsp parsley, green onion and herb mix, chopped
> 1/4 cup dry white wine
> 2 tbsp olive oil
> salt and pepper to taste

DIRECTIONS

Wash hens well, quartering and marinating with lime and salt. While hens marinate, prepare sauce, mixing tomato, onion, garlic, sage, rosemary, marjoram, parsley mix, white wine, olive oil, salt and pepper in a bowl. Set aside. Roast hens in a barbecue or the oven for approximately 20 minutes. Remove from heat when they begin to brown, basting with sauce. Return to heat for approximately 5 minutes. Repeat as necessary. Serve with remaining sauce, grilled polenta, endive salad with bacon and onion, dress with red wine vinegar.

** SERVING: 2 portions*

** PREP TIME: 1 hour*

TRAMONTINA

PICANHA

Rump steak Barbecue

INGREDIENTES

> 1 peça de picanha de 1 a 1,5kg
> Sal grosso a gosto

PREPARO

Corte a picanha em pedaços de cerca de 4cm de espessura e enfie nos espetos.
Como a picanha é uma peça triangular, coloque os pedaços maiores primeiro e os menores por último: estes ficarão prontos antes e serão os primeiros a ser retirados do espeto. Deixe a capa de gordura de todos os pedaços voltada para a brasa. Coloque os espetos a cerca de 40cm de distância das brasas e, quando a carne começar a "suar", tempere com sal grosso, espalhando-o com a mão sobre a superfície dos pedaços. Mantenha a carne sobre o calor por cerca de 20 minutos de cada lado ou um pouco mais, apagando com chuviscos de água as chamas que se levantarem, para que a carne não torre. Tire o churrasco do fogo e bata com uma faca para eliminar o excesso de sal. Sirva em seguida, colocando os pedaços aos poucos sobre uma tábua e cortando-os em fatias. Mantenha o espeto com os pedaços restantes em um canto da churrasqueira para que se conservem aquecidos sem continuar a assar.

* RENDIMENTO: 8 porções

* TEMPO DE PREPARO: 40 minutos

INGREDIENTS

> 1 – 1.5 kg rump steak
> Kosher salt to taste

DIRECTIONS

Slice beef to approximately 4 cm thick and skewer.
Because the cut is triangular, skewer larger pieces first and smallest, last: these pieces will be ready before the others and will be the first to be removed from the skewer. Leave the fat turned toward the coals. Place the skewers approximately 40 cm from the charcoals and, when the meat begins to sweat, season with kosher salt, spreading it with your hands over the surface. Roast for approximately 20 minutes each side, extinguishing flames with sprays of water so that the meat does not burn. Remove from heat and tap with a knife to remove excess salt. Serve immediately, cutting the meat into smaller pieces on a cutting board. Keep any remaining meat on the skewer and maintain warm in and/or continue roasting in the barbecue pit.

** SERVING: 8 portions*

** PREP TIME: 40 minutes*

MATAMBRE RECHEADO

Stuffed Matambre

INGREDIENTES

> 1 kg de carne (matambre) limpa
> 2 colheres (sopa) de sal
> 1 colher (chá) de pimenta-do-reino moída
> 1 colher (chá) de grãos de coentro em pó
> 1/2 colher (chá) de cravo-da-índia em pó
> 2 dentes de alho amassados
> 2 xícaras (chá) de vinho branco seco
> filme de poliéster para churrasco (para embrulhar a carne e assar)
> sal grosso a gosto

Recheio

> 2 claras
> 1 xícara (chá) de queijo parmesão ralado
> 2 gemas levemente batidas
> 2 colheres (sopa) de salsa picada
> 1 xícara (chá) de farinha de rosca

PREPARO

Marinada

No dia anterior, bata a carne no sentido das fibras, com o martelo de cozinha. Coloque em uma assadeira, tempere com o sal, a pimenta, o coentro, o cravo, o alho, o vinho branco e deixe descansar até o dia seguinte.

Recheio

Bata as claras em neve, junte o parmesão, as gemas, a salsa, a farinha de rosca e misture bem. Espalhe o recheio sobre a carne, enrole como um rocambole, sem apertar muito. Esfregue na carne um pouco de sal grosso, embrulhe no filme de poliéster apertando bem as duas pontas, amarre com um barbante e leve para assar. Para assar em churrasqueira, a carne deve ser colocada num espeto duplo, coberta com o filme. Para assar no forno, disponha a carne embrulhada sobre uma assadeira, em temperatura média-baixa por, aproximadamente, 1 hora e 30 minutos. Desembrulhe a carne e corte em fatias.

* RENDIMENTO: 6 porções

* TEMPO DE PREPARO: 14 horas

INGREDIENTS

> 1 matambre, approximately 1 kg, clean
> 2 tbsp salt
> 1 tsp pepper
> 1 tsp ground cilantro seeds
> 1/2 tsp ground cloves
> 2 cloves garlic, crushed
> 1 cup dry white wine
> oven bag (for roasting)
> kosher salt to taste

Stuffing

> 2 egg whites
> 1 cup grated parmesan cheese
> 2 yolks, slightly beaten
> 2 tbsp parsley, chopped
> 1 cup bread crumbs

DIRECTIONS

Marinade

The day before, beat the matambre with the grain with a meat hammer. Place in a baking pan, season with salt, pepper, cilantro, cinnamon, garlic, and white wine and allow to marinate overnight.

Stuffing

Beat the egg whites until stiff and fold in the parmesan, yolks, parsley, and bread crumbs, mixing well. Spread the stuffing over the meat, rolling it up into a roulade, without pressing much. Rub kosher salt into the meat and place in oven bag, pressing firmly on the ends to close. Tie with string and roast. To roast in a barbecue, the meat should be spitted on a double spit and covered with foil. To roast in the oven, place the wrapped meat in a baking pan, baking at 350° F (180° C) for approximately 1 hour and 30 minutes. Unwrap and carve.

** SERVING: 6 portions*

** PREP TIME: 14 hours*

SAGU DE VINHO COM CREME INGLÊS

Red Wine Tapioca with Vanilla Custard Sauce

INGREDIENTES

> 1 xícara de sagu (pequenas bolinhas brancas)

> 4 xícaras (chá) de água

> 1 garrafa de vinho tinto seco (750 ml)

> 1 xícara (chá) de açúcar

> 1 casca de canela

> 5 cravos-da-índia

Creme Inglês

> 2 e 1/2 xícaras (chá) de leite

> raspas de uma fava de baunilha (ou 1 colher (chá) de essência de baunilha)

> 4 gemas

> 1 xícara (chá) de açúcar

PREPARO

Deixe o sagu de molho na água, em uma panela, por aproximadamente 30 minutos. Em seguida, adicione o vinho tinto, o açúcar, a canela e os cravos. Deixe ferver por aproximadamente 30 minutos, em fogo baixo, ou até que as bolinhas fiquem meio transparentes e o sagu cozido, mas resistente ao dente. Mexa de vez em quando para não grudar no fundo da panela. Caso a calda esteja muito espessa, junte um pouco de água fervente. Desligue o fogo e transfira o doce para uma compota.

Creme Inglês

Em uma leiteira funda, ferva o leite com a baunilha. Reserve. Em uma tigela, bata bem as gemas com o açúcar, até ficar branco. Acrescente o leite às gemas, bem devagar, misturando sem parar. Volte o leite com as gemas para o fogo baixo, mexendo devagar e sem parar, até alcançar o ponto de creme. Sirva o sagu depois de frio com o creme inglês.

* RENDIMENTO: 6 porções

* TEMPO DE PREPARO: 1 hora e 40 minutos

INGREDIENTS

> 1 cup tapioca granules

> 4 cups water

> 1 bottle dry red wine (750 ml)

> 1 cup sugar

> 1 stick cinnamon

> 5 cloves

Vanilla Custard Sauce

> 2 1/2 cups milk

> ground vanilla beans or 1 tsp vanilla extract

> 4 egg yolks

> 1 cup sugar

DIRECTIONS

Soak tapioca granules for approximately 30 minutes. Add red wine, sugar, cinnamon and cloves. Boil for approximately 30 minutes over low heat or until the balls are slightly transparent and the tapioca is cooked, but firm. Stir in occasionally to avoid sticking. If the sauce is too thick, add some boiling water. Remove from heat and transfer to a serving dish.

Vanilla Custard Sauce

In a deep saucepan, boil milk with vanilla. Set aside. In a bowl, beat yolks with sugar until white. Slowly add milk to yolk mixture, stirring constantly. Over low heat, stir mixture slowly and constantly to form a cream. Serve tapioca cold with custard sauce.

** SERVING: 6 portions*

** PREP TIME: 1 hour, 40 minutes*

TAINHA RECHEADA COM FAROFA DE PINHÃO

Mullet with Araucaria Pine Nuts and Manioc Flour

INGREDIENTES

> 1 tainha grande, com cabeça, eviscerada
> 1 limão-cravo (ou tahiti)
> sal a gosto
> 1 cebola pequena

Recheio

> 1 colher (sopa) de azeite de oliva
> 50 g de bacon picado
> 1 cebola picada
> 1 dente de alho picado
> 300 g de pinhão cozido e finamente picado (ou moído)
> 4 colheres (sopa) de farinha de mandioca (do tipo branca e fina)
> 2 colheres (sopa) de salsa e de cebolinha picadas
> sal e pimenta a gosto

PREPARO

Lave bem a tainha, esfregando levemente o interior do peixe com o limão e um pouco de sal.

Recheio

Em uma panela, em fogo alto, aqueça o azeite, frite o bacon, acrescente a cebola e o alho e mexa até amolecer. Junte o pinhão picado, mexendo por mais alguns minutos até ficar bem dourado e soltinho. Abaixe o fogo e acrescente a farinha de mandioca, aos poucos, mexendo sempre para não queimar. Por fim, adicione a salsa e a cebolinha e tempere com sal e pimenta.

Montagem

Encaixe a cebola pequena, cortada ao meio, na cavidade da cabeça da tainha. Recheie o peixe com uma quantidade suficiente para fechar. Pode-se usar um barbante e costurar a barriga com uma agulha, ou apenas utilizar palitos intercalados em cruz. A tainha pode ser assada em uma grelha dupla ou na brasa da churrasqueira por, aproximadamente, 15 minutos de cada lado. No forno, enrole-a em folhas de alumínio e asse, em temperatura média-alta, por 35 minutos, sem necessidade de virar.

* RENDIMENTO: 6 porções

* TEMPO DE PREPARO: 1 hora e 20 minutos

INGREDIENTS

> 1 large mullet, with the head, cleaned
> 1 lime
> salt to taste
> 1 small onion

Stuffing

> 1 tbsp olive oil
> 50 g bacon, diced
> 1 onion, chopped
> 1 clove garlic, diced
> 300 g araucaria pine nuts, cooked and finely chopped (or ground)
> 4 tbsp manioc flour (fine white)
> 2 tbsp parsley and green onions, chopped
> salt and pepper to taste

DIRECTIONS

Wash mullet well, lightly rubbing inside with lemon and a pinch of salt.

Stuffing

In a pot, heat oil over high heat and fry bacon, adding onion and garlic and stirring until soft. Add chopped pine nuts, stirring for a few minutes until well browned. Reduce heat and slowly add manioc flour, stirring constantly to avoid burning. Add parsley and green onion and season with salt and pepper.

Assembly

Fit a small, halved onion in the head cavity. Stuff fish with enough stuffing to close. Sew shut with string and a needle, or secure stomach by crossing toothpicks. Mullet can be baked in a broiler pan or barbecue for 15 minutes each side. In the oven, wrap in foil and bake at 350° F (180° C) for 35 minutes. Does not need to be turned.

** SERVING: 6 portions*

** PREP TIME: 1 hour, 20 minutes*

CUCA DE UVAS PRETAS

Black Grape Streusel Coffeecake

INGREDIENTES

Massa

> 1 xícara (chá) de leite morno
> 1 tablete de fermento biológico fresco (15 g)
> 5 colheres (sopa) de açúcar
> 4 e 1/2 xícaras (chá) de farinha de trigo
> 1 colher (chá) de sal
> 4 colheres (sopa) de manteiga sem sal
> 1 ovo
> manteiga para untar

Farofa

> 1 e 1/2 xícara (chá) de farinha de trigo
> 3/4 de xícara (chá) de açúcar
> 1 colher (chá) de canela em pó
> 1/2 xícara (chá) de manteiga derretida
> 2 xícaras (chá) de uvas pretas

PREPARO

Massa

Coloque o leite morno em uma tigela, junte o fermento e mexa até dissolver. Acrescente 1 colher (sopa) de açúcar e misture bem. Junte 1 e 1/2 xícara (chá) de farinha de trigo e misture bem. Cubra a tigela e deixe a mistura crescer por 30 minutos, ou até que forme uma esponja. Decorrido esse tempo, acrescente o açúcar e a farinha de trigo restantes, o sal, a manteiga e o ovo. Amasse e sove bastante até obter uma massa lisa, acetinada, que se desprenda facilmente da tigela e das mãos. Unte uma tigela com manteiga, coloque a massa, cubra com um pano de prato e deixe descansar em lugar morno até dobrar o volume. Unte uma assadeira de 26 x 40 cm, estique a massa e a coloque nessa assadeira. Deixe crescer novamente.

Farofa

Em uma tigela, junte a farinha de trigo, o açúcar, a canela e misture. Acrescente a manteiga derretida, aos poucos, bem devagar, e vá misturando os ingredientes entre as mãos, até obter uma farofa granulada. Coloque as uvas sobre a massa, depois espalhe a farofa, formando uma camada uniforme, cobrindo as uvas. Leve ao forno preaquecido em temperatura média e asse por cerca de 30 minutos ou até dourar. Retire do forno, deixe esfriar, corte em pedaços e sirva.

* RENDIMENTO: 10 porções

* TEMPO DE PREPARO: 3 horas

INGREDIENTS

Dough

> 1/2 cup warm milk
> 1 yeast tablet (15 g)
> 5 tbsp sugar
> 4 1/2 cups flour
> 1 tsp salt
> 4 tbsp unsalted butter
> 1 egg
> butter to grease

Topping

> 1 1/2 cups flour
> 3/4 cups sugar
> 1 tsp cinnamon
> 1/2 cup melted butter
> 2 cups red grapes

DIRECTIONS

Dough

In a bowl, dissolve yeast in warm milk. Add a tablespoon of sugar and mix well. Add a cup and a half of flour and mix well. Cover and allow to rise for 30 minutes or until spongy. Add remaining sugar and flour, as well as salt, butter and egg. Mix and knead well until dough is smooth and no longer sticks to hands. Grease a bowl with butter, add dough, cover with cloth and allow to rest in a warm place until doubled in size. Grease a 10 x 15 inch pan. Stretch dough and place in baking pan. Let it rise.

Topping

In a bowl, mix flour, sugar and cinnamon. Slowly add melted butter, mixing with hands to form a crumbly topping. Spread grapes over dough. Sprinkle cinnamon mixture over dough in a uniform layer, covering the grapes. Bake in preheated oven at 350° F (180° C) for 30 minutes or until golden brown. Cool, slice and serve.

** SERVING: 10 portions*

** PREP TIME: 3 hours*

Ignácio de Loyola Brandão nasceu em Araraquara (SP). É jornalista, contista e romancista. Começou sua carreira literária em 1965, com o lançamento do livro de contos Depois do Sol. Hoje, é autor de mais de trinta livros, entre eles Zero (1975), Cadeiras Proibidas (1976), Não Verás País Nenhum (1981) e Sonhando com o Demônio (1998). Traduzida em várias línguas, a obra de Ignácio de Loyola Brandão já foi adaptada para o cinema e para o teatro: Bebel que a Cidade Comeu, virou filme de Maurice Capovilla, com um roteiro do próprio Ignácio, Capovilla e Mário Chamie. Com sua obra, o autor conquistou vários prêmios literários como o Prêmio Pedro Nava (da Academia Brasileira de Letras), o prêmio da Associação Paulista de Críticos de Arte (APCA) e o Prêmio Jabuti.

SUDESTE

POR IGNÁCIO DE LOYOLA BRANDÃO

DO VIRADO DE BANANA AO ESTROGONOFE

Férias eram em Vera Cruz, cidade vizinha a Marília, hoje ainda do mesmo tamanho de 65 anos atrás, quando íamos para a fazenda do Tio Juca, irmão de minha avó Branca. À certa altura, havia um ritual que se repetiu até a minha juventude, aos 20 anos. Escolhia-se uma fazenda e todos os vizinhos iam para lá. De manhã chegavam carros, charretes, carroças e caminhões, gente a pé e a cavalo. Todos traziam milho fresco, recém-colhido, e despejavam no terreiro de secar café. As mulheres levavam cadeiras e bacias e começavam a abrir milho e a tirar a palha. Tirar a palha exigia engenho e arte; as melhores seriam destinadas a encapar as pamonhas. Segundo momento, a ralação, no sentido total de ralar o milho no ralador e ralar de trabalhar. Em alguns minutos, o cheiro do milho tenro tomava conta do ambiente; eram dezenas de mulheres ralando e conversando. Ao mesmo tempo, outro grupo coava o milho ralado e acrescentava açúcar ou sal, enchia os saquinhos feitos com palha e punha a ferver em tachos. Havia pamonhas doces e salgadas e pamonhas com queijo fresco dentro. Gosto mesmo da pamonha doce, pura. As salgadas eram passadas na manteiga, brilhavam como verniz. Iguais às pamonhas de Vera Cruz, nunca mais! É das mais fortes memórias de comida, de cheiro, sabor e alegria que tenho de infância.

Pouco tempo atrás, voltei a Vera Cruz, recebido por primos que me deram um almoço para o qual convidaram a parentada. Um mundo de gente e de conversas, casos e fofocas. Cheguei três horas antes e, ao entrar, senti um cheiro familiar que identifiquei rápido: leitoa no forno. Mas leitoa ali na casa de Nina e Silvio é diferente: foi criada no sitio, com uma limpeza que os antigos ficariam escandalizados. Porque 50 anos atrás, o chiqueiro de porcos era a coisa mais imunda que havia, acreditava-se que eles gostavam da sujeira, nela é que ganhavam peso. Não sei como não morreu muita gente! Quando vejo hoje leitõezinhos limpinhos, quase lavados com sabão e xampu, percebo como o mundo rural mudou. Bem, ia ter leitoa, e se conheço o Silvio, seria pururuca. Imaginem leitoa pururuca feita em forno de lenha por horas e horas. Quando chegou à mesa, o aroma invadiu a casa, a quadra, afagou o coração. Assim, a mesa foi ocupada com a leitoa e com todas as comidas que fizeram parte da infância e da juventude, cujas receitas e preparo permaneceram intactas, porque sagradas. Carne de panela, banana frita, batata-doce, frango com quiabo, tutu. Essa minha recente passagem foi proustiana, delicada e me deu a certeza de que, felizmente, há coisas que não mudam, são preservadas.

Como esquecer o virado de banana de minha tia Maria, irmã de meu pai? Das coisas mais simples e baratas de se fazer, mas encantadora. Doce de pobre, hoje acho de uma sofisticação sem tamanho. Banana dava no quintal. Farinha de milho custava quase nada. Açúcar era pouco. Numa panela de ferro colocavam-se as bananas e mexia-se até pegar o ponto de doce. Rápido, as bananas amoleciam, tornavam-se uma pasta cujo cheiro era de entontecer. O segredo era o ponto, saber o momento exato de acrescentar a farinha de milho crocante, moída na palma da mão. E mexer, mexer. Quando a massa pegava consistência, tia Maria derramava sobre o granito da pia, espalhava, esperava endurecer ao contacto com a pedra fria e cortava em quadradinhos, que desapareciam em minutos, ainda quentes, em nossos estômagos. Outra coisa importante. Nunca mais comi cambuquira, o broto da abóbora; aparecia de tempos em tempos, dependia da safra. Ainda hoje, meu irmão Luis, lá em Araraquara, coloca carne-seca no pilão que foi de meu avô José e soca durante horas, acrescentando farinha. O resultado é uma paçoca molhada inigualável, da roça mesmo.Não me esqueço dos adultos tomando, após as refeições, um prato de leite com farinha de milho. Eu achava muito sem graça, gosto de nada, mas meu pai dizia: "Reforça o corpo". Pode ser, ele morreu com quase 90 anos e estava bem. Trabalhou 40 anos na ferrovia sem nunca ter faltado. Outra coisa fundamental à saúde era a gemada que tanto meu avô, pai de meu pai, quanto meus tios, tomavam todas as manhãs.

Eu acordava com o barulho da colher batendo vigorosamente o ovo numa caneca de louça. Batia, batia, batia e, à certa altura, meu pai acrescentava o leite, batia mais e tomava. Confesso que aquilo me repugnava, até o dia em que tomei e adorei; o gosto do ovo desaparecia. Mais tarde, descobri a gemada com vinho, uma sensação, como diziam.

Duas da tarde, anos 50, interior, passava a carroça e o carroceiro tocava uma corneta, as mulheres saíam ao portão. Era o tripeiro, que vendia tudo o que o açougue se recusava a vender, por achar de qualidade inferior: fígado, bucho, tripa, etc. Baratíssimos. Não sei por que havia tanto preconceito, tinha família que recusava, alegava que era comida de pobre, imaginem. Décadas mais tarde, com um grupo de escritores brasileiros fui recebido na cidade do Porto com um jantar supimpa, cujo prato principal, de honra, era dobradinha. Igual, nunca mais.

Fígado acebolado, ah, como comi na infância, como comi quando cheguei a São Paulo, era uma delícia o do Gigetto, além de barato. No cardápio dizia: Fígado à Veneziana. Quando criança, odiava camarão. Eles chegavam secos e salgados em sacos largados no chão do armazém. Tinham um cheiro horrível. Somente descobri o que era camarão, no Gigetto mesmo, aos 22 anos, quando vi passar à minha frente um espeto de Camarão à Grega, o prato mais caro da época. Há pratos que estavam em todos os cardápios da cidade, mas desapareceram misteriosamente. E o Filé à Cubana foi um. E para onde migrou o Croquete de Camarão? O que aconteceu? Assisti também à ascensão e à decadência do estrogonofe. No começo dos anos 60 era o must, caro, sofisticado, preparado com vodca russa, uma bebida que poucos tomavam, pouco era encontrada. Ah, o estrogofone do Baiuca, na praça Roosevelt! Coisa que somente o Baby Pignatary comia, ele que era o milionário playboy. Ou o Dirceu Fontoura, que tinha um iate mítico, o Atrevida. Ou o Francis Forbes. Ou Jean Louis Lacerda Soares que era casado com a mulher mais bela da sociedade, a Ilde, fascinante. Ou o Fernando de Barros, sempre cercado por estrelas como Maria Della Costa, ou Odete Lara, ou modelos da Rhodia como a Giedri, belíssima. Aliás, estrogonofe se escrevia strogonof. Ou estroganof, quando o restaurante era metido, como se dizia. Sim, os tempos mudaram e o estrogonofe é uma prova. Qual é o prato que está em todo restaurante a quilo, com creme de leite, repleto de ketchup? Ali, por uns míseros três reais? Estrogonofe. Vejam só.

Ignácio de Loyola Brandão was born in Araraquara, São Paulo State. He is a journalist and writer. He began his literary career in 1965, with the launch of his collection of short stories Depois do Sol. Today, he has more than thirty books published, including Zero (1975), Cadeiras Proibidas (1976), Não Verás País Nenhum (1981) and Sonhando com o Demônio (1998). Translated into several languages, Ignácio de Loyola Brandão's works have been adapted for cinema and theater: Bebel que a Cidade Comeu became a film by Maurice Capovilla, with a screenplay by Ignácio himself, together with Capovilla and Mário Chamie. With his work, the author has earned several literary awards like the Pedro Nava Award from the Brazilian Academy of Letters, the São Paulo Art Critics Association award and the Jabuti Award.

SOUTHEAST

BY IGNÁCIO DE LOYOLA BRANDÃO

FROM FRIED BANANAS TO STROGANOFF

We vacationed in Vera Cruz, near Marília, which today is still the same size as 65 years ago when we would go to the farm of Uncle Juca, my grandmother Branca's brother. By then, there was a certain ritual that repeated itself until I was 20. We would pick a farm and all the neighbors would meet there. In the morning, cars, wagons, carts and trucks would arrive, people on foot and on horseback. All of them brought fresh corn from the recent harvest and spread it out on the courtyard for drying coffee. The women would bring chairs and bowls and begin to open the corn and remove the husk. Husking the corn required ingenuity and art; the best would be used to cook the tamales. Then they would grate the corn, working hard at it. In a few minutes, the smell of tender corn would overcome the place. There were dozens of women grating and conversing. At the same time, another group would cull the grated corn, adding milk and sugar and then they would stuff the husk pouches, tying them up and placing them in boiling water. There were sweet and savory tamales, and tamales with fresh cheese inside. I like sweet, pure tamales. The savory tamales were rolled in butter and glistened like varnish. I will never have tamales the same as those from Vera Cruz! It is one of my strongest food memories, of aromas, flavors and joy that I have from my childhood.

Not long ago, I went back to Vera Cruz to visit cousins who invited the whole family for lunch. It was a world of people and conversation, events and gossip. I got there three hours early and when I walked in I smelled the familiar aroma that I identified quickly, as pork roast. But pork roast there at Nina and Silvio's is different – it was raised on the farm, with a cleanliness that the old timers would find scandalous. Because 50 years ago, the pig pen was the filthiest thing there was. People believed that pigs liked filth, that that was how they got fat. I don't know how a lot of people didn't die! Today, when I see the clean little piglets, almost as if they had been washed in soap and shampoo, I can see how the rural world has changed. Well, sure there would going to be pork at lunch, and if I know Silvio, it would be suckling pig. Imagine suckling pig baked in a wood-fired oven for hours and hours. When it served, the aroma invaded the house, the yard, and warmed the hearts. The table was occupied with the pig and all the foods that were part of my childhood and youth, the recipes and preparation of which remain intact, because they are sacred. Pot roast, fried bananas, sweet potatoes, chicken with okra stew, refried beans. My recent trip was Proustian, delicate and left me certain that, fortunately, there are things that don't change, that stay intact.

How could I forget the fried bananas of my Aunt Maria, my father's sister? It is one of the easiest and cheapest things to make, but it is enchanting. The poor man's dessert: today I find it unspeakably sophisticated. We grew bananas in the yard. Corn flour didn't cost hardly anything. Sugar was cheap. In a cast iron pan, you put the bananas in and moved them around until they hit the sweet spot. The bananas softened quickly and became a paste with a dizzying smell. The secret was cooking them just right, knowing the exact moment to add the flaky corn flour, ground by hand. And stir and stir. When the batter was just right, Aunt Maria would pour it on the granite counter, spread it out and wait for it to harden with the contact of the cold stone, and then she would cut it into squares, which would disappear in minutes, still warm, into our stomachs. Something else that was important. I never ate again cambuquira, pumpkin sprouts, which would show up from time to time, depending on the harvest. Still today, my brother Luis, who lives down in Araraquara, puts dried meat in my grandfather José's mortar and grinds it for hours, adding manioc flour. The result is an unmatched moist called paçoca, genuine from the countryside. I will never forget the adults eating a plate of milk with flaky corn flour after their meals. I thought it was very dull, tasteless, but my father said: it makes you strong. Maybe; he was almost 90 when he died, and he was healthy. He worked 40 years on the railroad and never missed a day. Another fundamental food to good health was the raw eggs that my grandfather, my father's father and all my uncles drank every morning. I would wake up to the sound of the spoon beating the eggs vigorously in a porcelain mug. They would beat, beat, beat and then, finally, my dad would add milk, beat some more and drink. I have to admit I thought it was disgusting, until the day I tried it and loved it; the strong taste of the egg had disappeared. Later, I discovered eggnog with wine, a sensation, as they call it.

At 2 p.m., 1950s, on the countryside, a wagon would drive by and the rider would blew a horn, the women would run to the gate. It was the meat man, who sold everything the butcher wouldn't sell because he thought it was of lesser quality: liver, stomach, intestines, everything. Very cheap. I don't know why there was so much prejudice against it, there were families that refused, said it was poor men's food, really! Decades later, a group of Brazilian writers was received in Porto with a succulent dinner, and what was the main course, the dish of honor? Beef tripe. It was never the same again.

Beef liver sautéed with onions, oh!, just like in my childhood, how I ate it when I arrived at São Paulo. At Gigetto's restaurant, it was delicious, and cheap. On the menu, it said: Beef liver à la Veneziana. When I was a child, I hated shrimp. It arrived dried and salted in sacks thrown on the floor of the storeroom. It smelled awful. I only discovered shrimp at Gigetto when I was 22, where I saw a Greek Shrimp Kebab, the most expensive dish at the time, being served. There are dishes that were once on every menu in the city but have mysteriously disappeared: the Cuban Filet was one of them. And where did the Shrimp Croquette go? What happened? I also witnessed the rise and fall of beef stroganoff. In the early 1960s, it was the must have, expensive, sophisticated, prepared with Russian vodka, a drink that few would drink, that was hard to find. Ah, the stroganoff at Baiuca's restaurant on the Roosevelt Square! Something that only Baby Pignatary, the millionaire playboy, would have. Or Dirceu Fontoura, who had a mythical yacht, called Atrevida. Or Francis Forbes. Our Jean Louis Lacerda Soares, who was married to the most beautiful woman in high society, Ilde, fascinating. Or Fernando de Barros, always surrounded by stars like Maria Della Costa or Odete Lara, or models from Rhodia like Giedri, who was beautiful. In fact, stroganoff was written stroganov. Or stroganoff, when the restaurant was snobbish, as we used to say. Yes, times have changed and stroganoff is proof of that. What dish is available at every restaurant per kilo, with cream and ketchup? Always there for a miserable three reais? Stroganoff. Look at that.

RIO DE JANEIRO

CRISTO REDENTOR / *CHRIST THE REDEEMER*

SÃO PAULO

FEIRA LIVRE / *STREET MARKET*

SÃO PAULO

MINAS GERAIS

VAPOR, NO RIO SÃO FRANCISCO / *STEAMBOAT ON THE SÃO FRANCISCO RIVER*

RIO DE JANEIRO

PARATY / *PARATY*

SÃO PAULO - CONGADA CHAPÉU DE FITAS, EM OLÍMPIA

TRADITIONAL RIBBON HAT OF THE CONGADA FOLK FESTIVAL, IN OLÍMPIA

MINAS GERAIS- CABOCLINHOS, NA FESTA DE NOSSA SENHORA DO ROSÁRIO, EM SERRO

"CABOCLINHOS" IN THE FESTIVAL OF OUR LADY OF THE ROSARY, IN SERRO

RIO DE JANEIRO

PARATY / *PARATY*

PÃO DE QUEIJO

Cheese Rolls

INGREDIENTES

- > 1 e 1/2 xícara (chá) de polvilho azedo
- > 1/4 de xícara (chá) de óleo
- > 1/2 xícara (chá) de leite
- > 1 ovo
- > 1 xícara (chá) de queijo curado ou meia-cura ralado
- > sal a gosto

PREPARO

Coloque o polvilho em uma tigela e reserve. Em uma panela, aqueça o óleo junto com o leite e despeje sobre o polvilho. Mexa com uma colher até esfriar um pouco e depois sove com as mãos até amornar. Adicione o ovo, o queijo, o sal e misture bem. Faça bolinhas com pequenas porções da massa e coloque em uma assadeira forrada com papel-alumínio. Leve ao forno preaquecido em temperatura média por 30 minutos, ou até que os pães de queijo fiquem levemente dourados.

* RENDIMENTO: 18 unidades

* TEMPO DE PREPARO: 50 minutos

INGREDIENTS

- *> 1 1/2 cup tapioca starch*
- *> 1/4 cup oil*
- *> 1/2 cup milk*
- *> 1 egg*
- *> 1 cup hard or semi-hard fresh cheese, grated*
- *> salt to taste*

DIRECTIONS

Put tapioca starch in a bowl and set aside. In a saucepan, heat oil and milk and then pour over the starch. Mix with a spoon until slightly warm. Knead with hands until cool. Add egg, cheese and salt and mix well. Hand roll small portions of dough into balls and place on a foil-lined baking sheet. Bake it on pre-heated oven at 350° F (180° C) for 30 minutes or until the buns are golden brown.

** SERVING: 18 rolls*

** PREP TIME: 50 minutes*

Ribs Beef Stew with Manioc

INGREDIENTES

> 2 colheres (sopa) de óleo
> 1 kg de costela bovina cortada em pedaços pequenos
> 2 cebolas médias picadas
> 4 dentes de alho amassados
> sal e pimenta-do-reino a gosto
> 5 tomates sem sementes picados
> 2 colheres (sopa) de vinagre
> 2 colheres (sopa) de salsa picada
> 2 colheres (sopa) de cebolinha picada
> 2 folhas de louro
> 1 litro de água quente
> 800 g de mandioca descascada e cortada em pedaços médios

PREPARO

Em uma panela de pressão grande, aqueça o óleo e frite a costela até dourar. Junte as cebolas, o alho, sal, pimenta e frite mais um pouco. Adicione os tomates, o vinagre, a salsa, a cebolinha, o louro e a água quente. Tampe a panela e cozinhe por 40 minutos, contados após o início da pressão. Abra a panela, coloque a mandioca e, se estiver com pouco líquido, acrescente mais um pouco de água. Feche novamente a panela e cozinhe por mais 10 minutos. Abra a panela, verifique se a carne está macia e a mandioca começando a desmanchar, no ponto de deixar o molho cremoso. Se necessário, deixe cozinhar mais um pouco, com a panela destampada, e acrescente água se estiver seco. Prove o sal e sirva quente.

* RENDIMENTO: 6 porções

* TEMPO DE PREPARO: 1 hora e 20 minutos

INGREDIENTS

> 2 tbsp oil
> 1 kg beef ribs, cut into small pieces
> 2 medium-sized onions, chopped
> 4 cloves garlic, crushed
> salt and pepper to taste
> 5 tomatoes, de-seeded and chopped
> 2 tbsp vinegar
> 2 tbsp chopped parsley
> 2 tbsp chopped green onions
> 2 bay leaves
> 1 L hot water
> 800 g manioc (yuca), peeled and cut into medium size pieces
> 1 cup parsley, green onion and herb mix, chopped

DIRECTIONS

In a large pressure cooker, heat oil and brown the ribs. Add onion, garlic, salt and pepper and sauté. Add tomatoes, vinegar, parsley, green onion, bay leaves and hot water. Close the cooker and cook for 40 minutes after pressure starts. Open the cooker, add manioc and, if necessary, add water. Close it and cook for another 10 minutes. Open cooker, check if meat is tender and manioc begins to melt into a creamy sauce. If necessary, cook longer, uncovered, adding some water if too dry. Add salt as necessary and serve immediately.

** SERVING: 6 portions*

** PREP TIME: 1 hour, 20 minutes*

BOLO DE FUBÁ

Corn Flour Cake

INGREDIENTES

- > 2 xícaras (chá) de fubá
- > 1 xícara (chá) de farinha de trigo
- > 1 e 1/2 xícara (chá) de açúcar
- > 2 xícaras (chá) de leite
- > 1 xícara (chá) de óleo
- > 3 ovos
- > 1 colher (sopa) de fermento em pó

PREPARO

Em uma tigela, coloque o fubá, a farinha de trigo e o açúcar. Aqueça o leite junto com o óleo e misture na tigela com os ingredientes secos, até a massa ficar homogênea. Junte os ovos e misture bem, para incorporar. Por último, misture o fermento e passe para uma forma de furo central, untada e enfarinhada. Leve ao forno preaquecido em temperatura média por 40 minutos. Espere amornar e desenforme. Corte em fatias e sirva.

* RENDIMENTO: 10 porções

* TEMPO DE PREPARO: 1 hora

INGREDIENTS

- *> 2 cups corn flour*
- *> 1 cup all purpose flour*
- *> 1 1/2 cups sugar*
- *> 2 cups milk*
- *> 1 cup oil*
- *> 3 eggs*
- *> 1 tbsp baking powder*

DIRECTIONS

Mix corn flour and all purpose flour with sugar in a bowl. Heat milk with oil and pour over dry ingredients, mixing until dough is homogenous. Add eggs and beat well to incorporate evenly. Finally, add baking powder and pour into greased, floured bundt pan. Bake in preheated oven at 350° F (180° C) for 40 minutes. Cool and unmold. Slice and serve.

** SERVING: 10 portions*

** PREP TIME: 1 hour*

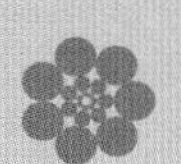

CUSCUZ À PAULISTA

Paulista Cuscuz (Cornmeal Savory Cake)

INGREDIENTES

- > 7 tomates bem vermelhos (1 para decoração)
- > 3 ovos cozidos (1 para decoração)
- > 1 vidro de palmito cortado em rodelas (2 pedaços para decoração)
- > 1 lata de filés de sardinha (1 filé para decoração)
- > 1/2 xícara (chá) de óleo
- > 1 cebola média picada
- > 3 dentes de alho picados
- > 1 lata de ervilhas
- > 1 pimentão pequeno vermelho picado
- > 1 pimentão pequeno verde picado
- > 1 xícara (chá) de azeitonas verdes picadas
- > 4 colheres (sopa) de salsa picada
- > 5 xícaras (chá) de água quente
- > sal a gosto
- > 1 pimenta dedo-de-moça picada
- > 2 colheres (sopa) de farinha de mandioca
- > 3 e 1/2 xícaras (chá) de farinha de milho em flocos

PREPARO

Unte com óleo uma forma grande de furo central e decore o fundo e a lateral com o tomate, o ovo cozido e o palmito cortados em rodelas e o filé de sardinha. Reserve. Retire a pele e as sementes dos tomates restantes e pique-os. Pique os ovos e as sardinhas restantes e reserve. Em uma panela grande, aqueça o óleo e frite a cebola, o alho e os pimentões até ficarem macios. Junte os tomates, os ovos, o palmito, as sardinhas, as ervilhas, as azeitonas, a salsa, a água e sal. Deixe ferver e misture a farinha de mandioca e a farinha de milho, aos poucos, mexendo sempre, para incorporá-las. Prove o sal e desligue. Distribua a massa na forma decorada, apertando bem para saírem as bolhas de ar. Deixe esfriar um pouco, vire o cuscuz em um prato e sirva. Pode ser servido frio.

* RENDIMENTO: 15 porções

* TEMPO DE PREPARO: 1 hora

INGREDIENTS

- *> 7 very ripe tomatoes (1 for decoration)*
- *> 3 hard boiled eggs (1 for decoration)*
- *> 1 jar hearts of palm, sliced (2 hearts of palm for decoration)*
- *> 1 can sardine fillets (1 for decoration)*
- *> 1/2 cup oil*
- *> 1 medium onion, chopped*
- *> 3 cloves garlic, diced*
- *> 1 can sweet peas*
- *> 1 small red bell pepper, chopped*
- *> 1 small green bell pepper, chopped*
- *> 1 cup green olives, chopped*
- *> 4 tbsp chopped parsley*
- *> 3 1/2 cups corn flour*
- *> 5 cups hot water*
- *> salt to taste*
- *> 1 red chili, chopped and 1 tbsp manioc flour*

DIRECTIONS

Grease a large bundt pan and decorate bottom and sides with tomatoes slices, egg slices, hearts of palm slices and sardine fillets. Set aside. Remove skin and seeds from remaining tomatoes and chop. Chop remaining eggs and sardines and set aside. In a large pan, heat oil and sauté onion, garlic and bell peppers until soft. Add tomatoes, eggs, hearts of palm, sardines, eggs, olives, parsley, water and salt. Bring to a boil and slowly add manioc and corn flours, stirring constantly to incorporate. Salt to taste and remove from heat. Distribute dough in decorated pan, pressing to remove air pockets. Cool slightly, flip over onto a plate and serve. Can be served cold.

** SERVING: 15 portions*

** PREP TIME: 1 hour*

FEIJOADA

Feijoada (Black Bean Stew)

INGREDIENTES

> 1 kg de feijão preto
> 500 g de lombo de porco salgado
> 500 g de costela suína salgada
> 500 g de carne-seca
> 1 pé de porco salgado
> 1 orelha de porco salgado
> 1 rabo de porco salgado
> 500 g de paio
> 500 g de linguiça calabresa
> 250 g de lombo de porco defumado
> 250 g de bacon
> 250 g de costela suína defumada
> 4 colheres (sopa) de óleo
> 2 cebolas picadas
> 1 cabeça de alho
> sal a gosto
> 1/2 maço de cebolinha picada
> 1 maço de salsa picada

PREPARO

Deixe o feijão de molho por 12 horas. Lave bem as carnes salgadas (lombo, costela, carne-seca, pé, orelha e rabo) para retirar o excesso de sal. Coloque-as de molho em água, separadamente, por 12 horas, trocando a água a cada 4 horas. Escorra as carnes e afervente-as, por 15 minutos, para retirar o sal restante. Escorra. Em uma panela de pressão grande, coloque o feijão, cubra com água até quatro dedos acima do nível do feijão; tampe e cozinhe por 20 minutos após o início da pressão. O feijão não deve ficar totalmente cozido para não desmanchar depois. Em outra panela de pressão, coloque as carnes duras (carne-seca, costela e lombo dessalgados, pé, orelha e rabo), cubra com água e cozinhe por 20 minutos, contados após o início da pressão. Em uma panela bem grande, aqueça o óleo e frite as cebolas e os dentes de alho amassados. Coloque o paio e a linguiça calabresa cortados em rodelas; a carne-seca, o lombo defumado e o lombo dessalgado cortados em pedaços médios; o bacon cortado em cubos pequenos; a costela defumada e a costela dessalgada cortadas entre ossos; a orelha, o rabo e o pé de porco, inteiros. Frite por 10 minutos, mexendo de vez em quando, e misture o feijão com o caldo. Deixe cozinhar por 20 minutos em fogo médio para misturar bem o sabor das carnes ao feijão e engrossar o caldo. Se o caldo estiver muito grosso ou for insuficiente, coloque mais um pouco de água e cozinhe por mais 5 minutos. Prove o sal e misture a cebolinha e a salsa. Sirva a feijoada com arroz branco, couve fatiada, refogada e farofa.

* RENDIMENTO: 12 porções

* TEMPO DE PREPARO: 13 horas e 50 minutos

FEIJOADA (BLACK BEAN STEW)

INGREDIENTS

- *1 kg black beans*
- *500 g salted pork loin*
- *500 g salted pork ribs*
- *500 g jerked beef*
- *1 salted pig's foot*
- *1 salted pig's ear*
- *1 salted pig's tail*
- *500 g Andouille sausage (or Spanish chorizo)*
- *500 g Polish sausage (Kielbasa)*
- *250 g smoked pork loin*
- *250 g bacon*
- *250 g smoked pork ribs*
- *4 tbsp oil*
- *2 onions, chopped*
- *1 head of garlic*
- *salt to taste*
- *1/2 bunch green onion, chopped*
- *1 bunch parsley, chopped*

DIRECTIONS

Soak beans for 12 hours. Wash the salted meats (pork loin, ribs, jerked beef, pig's foot, ear and tail) to remove excess salt. Soak meats separately for 12 hours, changing water every 4 hours. Drain meats and boil for 15 minutes to remove remaining salt. Drain. In a large pressure cooker, cover beans with 4 inches of water, close and cook for 20 minutes after the start of pressure. The beans should not be completely cooked so that they do not overcook. In another pressure cooker, place the hard meats (de-salted meats), cover with water and cook for 20 minutes from the start of pressure. In a very large pot, heat oil and sauté onions and crushed garlic. Add sliced sausages, cooked meats and bacon cut into small cubes. Sautee for 10 minutes, stirring occasionally, and add beans with juice. Cook for 20 minutes on medium heat until meat and bean flavors are incorporated and juice thickens. If the juice is too thick or there is not much, add water and cook for another 5 minutes. Salt to taste and add green onions and parsley. Serve with white rice, sautéed julienned collard greens and toasted manioc flour.

** SERVING: 12 portions*

** PREP TIME: 13 hours, 50 minutes*

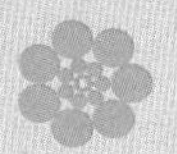

PIZZA MARGUERITA

Margherita Pizza

INGREDIENTES

Massa

> 1/4 de tablete de fermento biológico (4 g)
> 1 colher (chá) de açúcar
> 10 colheres (sopa) de água morna
> 4 colheres (sopa) de óleo
> 1 pitada de sal
> 1 xícara (chá) de farinha de trigo

Recheio

> meia xícara (chá) de molho de tomate
> 2 xícaras (chá) de mozarela ralada
> 1/4 de xícara (chá) de folhas de manjericão

PREPARO

Massa

Junte o fermento e o açúcar e misture até dissolver totalmente. Junte a água e o óleo. Misture o sal à farinha de trigo e incorpore à mistura de fermento, aos poucos, até formar uma massa uniforme e macia. Forme uma bola com a massa, cubra com um pano e deixe em um lugar quente, até dobrar o volume. Abra a massa com um rolo e faça um fundo de pizza redondo, deixando as bordas mais grossas.

Recheio

Espalhe o molho sobre a massa, distribua a mozarela e leve ao forno preaquecido em temperatura média-alta, por 20 minutos. Retire do forno e distribua as folhas de manjericão. Corte em pedaços e sirva a seguir.

* RENDIMENTO: 1 pizza grande

* TEMPO DE PREPARO: 1 hora

INGREDIENTS

Dough

> 1/4 yeast tablet (4 g)
> 1 cup sugar
> 10 tbsp warm water
> 4 tbsp oil
> pinch of salt
> 1 cup all purpose flour

Topping

> 1/2 cup tomato sauce
> 2 cups grated mozzarella cheese
> 1/4 cup basil leaves

DIRECTIONS

Dough

Mix yeast and sugar, stirring until completely dissolved. Add water and oil. Mix salt and flour and slowly add to yeast mixture to form homogenous, soft dough. Roll dough into a ball, cover and leave in a warm place until it doubles in volume. Roll out dough and make a round pizza, leaving the edges thicker.

Topping

Spread sauce over dough, distribute mozzarella and bake in pre-heated oven at 425° F (220° C) for 20 minutes. Remove from oven and add basil leaves. Slice and serve immediately.

** SERVING: 1 large pizza*

** PREP TIME: 1 hour*

BOLINHO DE CHUVA

Cinnamon Sugared Doughnut Holes

INGREDIENTES

> 1 xícara (chá) de leite
> 4 colheres (sopa) de açúcar
> 2 ovos
> 2 e 1/4 xícaras (chá) de farinha de trigo
> 2 colheres (chá) de fermento em pó
> óleo para fritar
> açúcar e canela em pó para polvilhar

PREPARO

Em uma tigela, misture o leite, o açúcar, os ovos, a farinha de trigo e o fermento. Aqueça o óleo e, com a ajuda de uma colher de sobremesa, vá colocando nele pequenas porções da massa. Frite até dourarem. Não deixe o óleo muito quente, pois o bolinho pode escurecer rápido por fora e ficar cru no centro. Escorra em papel-toalha. Misture o açúcar com a canela e passe os bolinhos nessa mistura. Sirva a seguir.

* RENDIMENTO: 10 porções

* TEMPO DE PREPARO: 30 minutos

INGREDIENTS

> 1 cup milk
> 4 tbsp sugar
> 2 eggs
> 2 1/4 cups flour
> 2 tbsp baking powder
> oil for frying
> sugar and cinnamon to dust

DIRECTIONS

In a bowl, mix milk, sugar, eggs, flour and baking powder. Heat oil. Spoon dough into oil and deep fry until golden brown. Do not allow the oil to overheat, as the dough will burn without cooking completely. Drain excess oil on paper towels. Mix sugar and cinnamon and roll doughnut holes in this mixture. Serve immediately.

** SERVING: 10 portions*

** PREP TIME: 30 minutes*

VIRADO À PAULISTA

Paulista Refried Beans Meal

INGREDIENTES

Tutu de Feijão

> 3 xícaras (chá) de feijão cozido
> 2 xícaras (chá) de água
> 2 colheres (sopa) de óleo
> 1 cebola média ralada
> 2 dentes de alho amassados
> sal e pimenta-do-reino a gosto
> 1/2 xícara (chá) de farinha de mandioca crua

Bistecas

> 4 bistecas suínas
> suco de 1 limão
> sal e pimenta-do-reino a gosto
> óleo para fritar

Linguiças

> 500 g de linguiça fresca suína ou mista
> óleo para fritar

Bananas

> 4 bananas-nanicas
> 1 ovo
> 1/2 xícara (chá) de leite
> 1 xícara (chá) de farinha de trigo
> 1 xícara (chá) de farinha de rosca
> óleo para fritar

Ovos

> 4 ovos
> óleo para fritar
> sal a gosto

Couve

> 1 maço de couve picada finamente
> 1 colher (sopa) de óleo
> sal a gosto

Torresmo

> 500 g de panceta cortada em tiras
> suco de 1 limão
> sal e pimenta-do-reino a gosto
> óleo para fritar

PREPARO

Tutu de Feijão

Bata o feijão com a água no liquidificador até a mistura ficar homogênea. Reserve. Em uma panela, aqueça o óleo e frite a cebola e o alho. Junte o feijão batido e tempere com sal e pimenta. Deixe ferver por 5 minutos em fogo baixo e junte a farinha de mandioca, mexendo sempre, até engrossar. Reserve.

Bistecas

Tempere as bistecas com o suco de limão, sal e pimenta. Frite-as em pouco óleo, até dourarem. Reserve.

Linguiças

Cozinhe as linguiças em água por 15 minutos, após o início da fervura. Escorra-as e deixe esfriar. Corte-as em rodelas e frite-as em pouco óleo. Reserve.

Bananas

Descasque as bananas e corte-as ao meio. Bata o ovo e misture o leite. Passe as bananas no ovo com leite, depois na farinha de trigo e, por último, na farinha de rosca. Frite-as em bastante óleo (imersão) até dourarem. Reserve.

Ovos

Frite os ovos, sem estourar as gemas, em uma frigideira com pouco óleo, em fogo baixo e tampada. Polvilhe sal por cima dos ovos. Quando as claras estiverem brancas e as gemas ainda moles, desligue e reserve.

Couve

Refogue a couve no óleo até murchar. Tempere com sal e reserve.

Torresmo

Tempere a panceta com o suco de limão, sal e pimenta. Frite-a em bastante óleo (imersão) até ficar dourada e crocante.

Montagem

Divida tudo em 4 partes e monte os pratos, deixando os ovos por cima. Sirva com arroz branco.

* RENDIMENTO: 4 porções

* TEMPO DE PREPARO: 1 hora e 20 minutos

PAULISTA REFRIED BEANS MEAL

INGREDIENTS

Refried beans

> 3 cups cooked kidney beans
> 2 cups water
> 2 tbsp oil
> 1 medium onion grated
> 2 cloves garlic, crushed
> salt and pepper to taste
> 1/2 cup raw manioc flour

Pork Chops

> 4 pork chops
> juice of 1 lime
> salt and pepper to taste
> oil for frying

Sausages

> 500 g fresh pork or mixed sausage
> oil for frying

Bananas

> 4 bananas
> 1 egg
> 1/2 cup milk
> 1 cup flour
> 1 cup bread crumbs
> oil for frying

Eggs

> 4 eggs
> oil for frying
> salt to taste

Collard greens

> 1 bunch julienned collard greens
> 1 tbsp oil
> salt to taste

Pork Rinds

> 500 g pancetta sliced
> juice of 1 lime
> salt and pepper to taste
> oil for frying

DIRECTIONS

Refried beans

Mix beans with water in a blender until homogenous. Set aside. In a saucepan, heat oil and sauté onion and garlic. Add bean paste and season with salt and pepper. Boil for 5 minutes over low heat and add manioc flour, stirring constantly until thickened. Set aside.

Pork Chops

Season pork chops with lime juice, salt and pepper. Sauté in oil until golden brown. Set aside.

Sausages

Boil sausages for 15 minutes. Drain and cool. Slice them and sauté in oil.

Bananas

Peel bananas and slice lengthwise. Beat eggs and mix with milk. Dip bananas in egg and milk mixture, followed by flour and finally, bread crumbs. Deep fry until golden brown. Set aside.

Eggs

Fry eggs sunny-side up, covered over low heat. Salt. Remove from heat when eggs are over-easy.

Collard Greens

Sauté greens in oil until wilted. Salt to taste and set aside.

Pork Rinds

Season pancetta with lime juice, salt and pepper. Deep fry until crispy and golden brown.

Assembly

Divide everything into 4 portions and assemble plates, leaving eggs on top. Serve with white rice.

** SERVING: 4 portions*

** PREP TIME: 1 hour, 20 minutes*

Siron Franco nasceu em Goiás Velho (GO). Pintor, desenhista e escultor, passou sua infância e adolescência em Goiânia. Após ganhar o prêmio Viagem ao Exterior, no Salão de Arte Moderna em 1975, viajou pela Europa entre 1976 e 1978. Entre 1985 e 1987, fez a direção de arte para documentários de televisão como Xingu (1985-87), concebido por Washington Novaes, premiado com medalha de ouro no Festival Internacional de Televisão de Seul. Desde 1986 realiza monumentos públicos, baseados na realidade social do país. Dono de uma técnica impecável, com mais de 3.000 peças criadas, além de instalações e interferências, teve sua obra representada em mais de uma centena de coletivas em todo o mundo, incluindo os mais importantes salões e bienais.

CENTRO-OESTE

POR SIRON FRANCO

Costumam dizer que a culinária de Goiás é uma mistura das vizinhas cozinhas mineira e paulista, mas eu não gosto de simplificar as tradições locais dessa maneira – acredito que as influências são mútuas e que nossos gostos e hábitos alimentares deixaram suas marcas nos paladares nacionais.

Em primeiro lugar, as tradições indígenas, como a mandioca e o milho (itens quase onipresentes na alimentação dos Cerrados Goianos), são comuns aqui como em toda a culinária brasileira. Mas na verdade, o que vem a ser essencial, o grande diferencial da nossa cultura gastronômica são os produtos exclusivos desta região: a variedade em frutas e legumes típicos, como o pequi (uma fruta) ou a guariroba (um tipo de palmito) e os peixes de água doce; eles são responsáveis por um gosto ou toque personalizado em pratos que podem ser encontrados nesta região.

Eu nasci na antiga capital, a velha Goiás, mesmo reduto da poeta e doceira Cora Coralina – que por sinal tornou-se uma das mais significativas divulgadoras da nossa tradição culinária. Doces de frutas, em compota ou cristalizadas, de cidra ralada, marmelada em caixote; uma grande variedade de biscoitos caseiros e algumas especialidades, raridades hoje em dia, como o alfenim (doce de açúcar artesanalmente modelado, como bibelôs em forma de bichinhos ou flores) e o bolo de arroz, são alguns exemplos da nossa contribuição culinária.

Daqueles tempos da infância, tenho a lembrança de meu pai, que era "raizeiro" (espécie de botânico ou herbalista empírico e autodidata) e buscava nas matas as ervas e raízes comestíveis e terapêuticas. Ele adorava uma pescaria, trazendo dos rios puros de então os peixes que minha mãe preparava para os almoços da família. A região, naqueles tempos, era pródiga em peixes nobres, como o dourado, o pacu... Lambaris, então, nadavam aos borbotões e costumavam ser servidos de petisco ou entrada, apenas fritos. Hoje em dia, essa cozinha ribeirinha e saudável, do bom peixe pescado e preparado na hora, não se encontra mais disponível – por razões óbvias e decorrentes do desenvolvimento urbano e da poluição dos rios.

O fato é que o goiano moderno passou a ser um amante de churrasco, da carne de gado – e churrascarias, de todos os estilos, não faltam nos principais centros. Mas talvez o que mais chame a atenção, ou abra o apetite de quem visitar uma cidade como Goiânia, é a quantidade e variedade de estabelecimentos que se dedicam à pamonha, outro grande estandarte da cozinha do Centro-Oeste. O milho talvez possa ser eleito como o principal esteio da alimentação da região: seu cultivo era comum em todas as casas antigas e motivo para reunir a família, desde a limpeza das espigas, ao preparo dos bolos, curau e pamonhas. Mas atenção: não é bem aquela pamonha do Sudeste, ou do interior paulista, que costuma ser feita como um doce; aqui, a preferência é por "pamonha de sal", frita, cozida ou assada, sempre tratada com as reverências de prato principal e ainda recheada de vários temperos e sabores, como carne, linguiça ou guariroba.

E por falar em guariroba, eis uma estrela de primeira grandeza nos cardápios locais. Trata-se de uma palmeira, ou espécie de palmito, porém com sabor meio amargo. A guariroba pode entrar numa porção de pratos, mas é quase que indispensável no típico risoto, ou no arroz com guariroba, assim como também no nosso empadão, o famoso Empadão Goiano, prato emblemático da nossa cozinha. Já exibindo no nome o orgulho da procedência, para quem ainda não sabe, essa espécie de torta salgada e levada ao forno, tem como recheio uma farta mistura de carnes variadas, legumes e temperos e, é claro, a guariroba.

Outro destaque fica com o pequi, fruta que ao natural requer cuidados, pois é cheia de espinhos, mas que não só confere um sabor único ao famoso arroz de pequi, bem como pode temperar molhos de outros pratos. A atual gastronomia goiana também vive dias de novas experiências e reformulações. Em alguns dos sofisticados e modernos restaurantes da capital, esmerados chefs se dedicam a releituras dos tradicionais ingredientes, a serviço de uma espécie de nouvelle cuisine goiana. Os resultados são estimulantes.

Das tradições locais, é importante destacar a paçoca de pilão, que provém da alimentação sertaneja e dos desbravadores, e anda meio desaparecida dos centros urbanos. Trata-se de uma farinha de mandioca socada no pilão com a carne-seca, que já foi farnel dos viajantes. É desses pioneiros, que chegavam de Minas e dos interiores paulistas, que advém o hábito de comer pratos à base de carne-seca, feijão e carne de porco – por isso não faltam no cardápio, arroz, feijão e farofa, leitão pururuca, torresmo, feijoada e até a famosa galinhada.

As festas populares, como a de São João, guardavam folguedos e tradições, como a de andar sobre brasas, das quais, me recordo, minha mãe sempre participava, lá nos anos 50-60. Nessas festas não faltavam os bolos de fubá e de arroz. Hoje, tudo isso é tão difuso, quase esquecido. Conheço poucos lugares capazes de preparar um autêntico bolo de arroz como os de antigamente. Esse bolo é bastante artesanal, preparado com uma farinha obtida do grão de arroz e pacientemente socado, até esfarelar em farinha. O verdadeiro, depois de assado, fica com uma cor bem escura, por causa do melaço, ou do açúcar de rapadura (mascavo). É uma delícia muito particular, de uma textura muito interessante. Nos interiores há ainda quem o prepare com toda a originalidade e autenticidade.

MATO GROSSO

PÔR DO SOL, NO PARQUE NACIONAL DAS EMAS / *SUNSET, RHEA NATIONAL PARK*

Siron Franco was born in Goiás Velho, Goiás State. The painter and sculptor spent his childhood and adolescence in Goiânia. After winning the Foreign Travels award at the Modern Art Expo in 1975, he travelled throughout Europe from 1976 to 1978. Between 1985 and 1987, he was an art director for television documentaries like Xingu (1985-87), produced by Washington Novaes and winner of the gold medal at the International Television Festival in Seoul. Since 1986, Siron Franco has created public monuments based on Brazil's social realities. With impeccable technique and more than 3,000 works, in addition to installations and interference works, his art is featured in more than 100 collections around the world, including the most important expos and biennials.

MIDWEST

BY SIRON FRANCO

People say that the cuisine of Goiás is a mixture of its border states São Paulo and Minas Gerais culinary, but I don't like to simplify local traditions like that – I believe that the influence is mutual and that our tastes and techniques have likewise left their marks on national palate.

For starters, native traditions like manioc and corn, which are practically omnipresent in dishes from the Goiano savannah, do their fair share here, like in all of Brazilian cuisine. But really, the essence, the heart of our culinary culture are the ingredients exclusively found in this region: a variety of native fruits and vegetables like the souari nut (a fruit), or guariroba (a specie of palm tree), and fresh water fish… these ingredients are responsible for a unique touch in dishes that are common in the region.

I was born in the old capital, old Goiás, the same home to the poet and pastry cook Cora Coralina – who, by the way, became one of the most important disseminators of our pastry traditions. Crystallized fruits or compotes, grated citron, marmalade in boxes, a wide variety of homemade cookies and some specialties that today are rarities like alfenim (hand molded candy into animals or flowers) and rice cakes are some examples of our culinary contributions.

From my childhood, I recall my father who was an herbalist, a self-taught botanist or empirical healer and who used to look for edible, therapeutic herbs and roots in the bush. He loved fishing, bringing home from the clean rivers the fish that my mother would prepare for our family lunches. In those days, the region was abundant in fine fish like the jau, pacu… Tetras swam in the ponds and were served as snacks or appetizers, just fried. Today, these healthy river dishes of fresh-prepared fine catches can no longer be found for obvious reasons as a result of urban development and river pollution.

The fact is that the modern inhabitants of Goiás are now all beef lovers, and the churrasco (Brazilian barbecue) in every style is easy to find all over the major cities. But maybe what really catch my attention, or the appetite of those who visit a city like Goiânia, is the number and variety of restaurants dedicated to tamales, another standard-bearer of Brazilian-Mid-Western dining. Corn could be elected the essence of regional flavors: it was a common crop in old homes and a reason to gather the family to clean the cobs, bake cakes and make puddings and tamales. But be aware: it's not the same tamale of the southeast, or São Paulo's countryside, which is usually sweet; here, we like a savory tamale, fried, boiled or baked, but also treated with the due reverence of a main dish and still stuffed with all kinds of seasonings and ingredients like meat, sausage or guariroba.

And speaking of guariroba – now there is a first class star of local menus. It is a specie of palm tree, or a type of palm heart, but it has a slightly bitter flavor. Guariroba can be added in several dishes, but it is almost indispensible in a local risotto dish, or guariroba rice, as well as in our pot pie, the famous Goiano pot pie, an emblematic dish of our cuisine. Showing the pride of its origins in its name, for those who don't know, this savory, oven baked pie is filled with a cornucopia of varied meats, vegetables and seasonings and, of course, guariroba.

Another highlight is the souari nut, a fruit that naturally requires extra care because it is full of thorns, but that gives a unique flavor to the famous souari nut rice, as well as seasoning the sauces of other dishes. Modern Goiás cooking also experiments new combinations and flavors. In some of the more sophisticated restaurants of the state capital, referred chefs dedicate themselves to reinvent traditional ingredients to create a sort of Goiás's nouvelle cuisine. The results are tantalizing.

Of the local traditions, you cannot forget the legacy of the conquerors and cowboys, even though it is almost unheard of in urban areas: the "paçoca" meal. It is a manioc flour ground in a mortar with sun-dried jerked beef, which was once the staple food of travelers. It was those pioneers, who arrived from the countryside of Minas Gerais and São Paulo that brought the habit of eating dishes based on jerked beef, beans and cured pork; this is why no menu will lack rice, beans and toasted manioc flour, suckling pigs and even the famous Galinhada, a chicken and rice stew.

Popular festivities like St. John's brought fun and tradition, like walking on hot coals, which, as I recall, my mother always did back in the 50s and 60s. At these festivals, there were all the corn and rice cakes you could eat. Today, all of this is so diffuse, almost forgotten, that I know of few places that make an authentic rice cake like in the old days. Everything about this cake is homemade, from the rice, patiently ground into flour. The real cake, after baked, is dark from the molasses or brown sugar. It is a peculiar delight, with a very interesting texture. In the country there are still people who make it in all its originality and authenticity.

GOIÁS

CAVALHADAS DE PIRINÓPOLIS / *JOUSTING OF PIRINÓPOLIS*

GOIÁS

FRUTO DO JENIPAPO / *GENIPAPO FRUIT*

MATO GROSSO

ONÇA-PINTADA, NO PARQUE NACIONAL DO PANTANAL / *SPOTTED JAGUAR, PANTANAL NATIONAL PARK*

MATO GROSSO

NINHAL DE BIGUÁS, NO PARQUE NACIONAL DO PANTANAL / *CORMORANT NESTING, PANTANAL NATIONAL PARK*

GOIÁS

CHIPAS / *CHIPAS*

MATO GROSSO DO SUL

CAVALO E CAVALEIRO, EM MIRANDA / *HORSE AND RIDER, IN MIRANDA*

MATO GROSSO DO SUL

CASA PANTANEIRA / *PANTANAL HOUSE*

MATO GROSSO DO SUL

PEÃO PREPARANDO GADO PARA A LIDA DIÁRIA / *RANCH HAND SADDLING A HORSE FOR HIS DAILY WORK*

ARROZ COM PEQUI

Souari Nut Rice

INGREDIENTES

- 4 colheres (sopa) de óleo
- 1 cebola média picada
- 2 dentes de alho amassados
- 250 g de pequi picado
- 2 xícaras (chá) de arroz
- 4 xícaras (chá) de água quente
- sal e pimenta-malagueta picada a gosto
- 3 colheres (sopa) de salsa picada

PREPARO

Em uma panela, aqueça o óleo e frite a cebola, o alho e o pequi. Junte o arroz e frite mais um pouco. Adicione a água, sal e cozinhe, em fogo médio, até secar o líquido. Desligue, polvilhe a pimenta, a salsa e sirva.

* RENDIMENTO: 5 porções

* TEMPO DE PREPARO: 30 minutos

INGREDIENTS

- *4 tbsp oil*
- *1 medium onion, chopped*
- *2 cloves garlic, crushed*
- *250 g chopped souari nut*
- *2 cups rice*
- *4 cups hot water*
- *salt and diced malagueta chili pepper, to taste*
- *3 tbsp chopped parsley*

DIRECTIONS

In a saucepan, heat oil and sauté onion, garlic and souari nut. Add rice and brown it. Add water and salt and cook over medium heat until all the water has been absorbed. Remove from heat and sprinkle with pepper and parsley. Serve.

* *SERVING: 5 portions*

* *PREP TIME: 30 MINUTES*

EMPADÃO GOIANO

Goiano pot pie

INGREDIENTES

Massa

> 1 e 1/2 xícara (chá) de água morna
> 1/2 colher (sopa) de sal
> 1/3 de xícara (chá) de óleo
> 2 ovos
> 5 colheres (sopa) de manteiga em temperatura ambiente
> 1 e 1/2 colher (chá) de fermento em pó
> 6 xícaras (chá) de farinha de trigo
> 1 gema batida

Recheio

> 2 colheres (sopa) de óleo
> 3 linguiças frescas esmigalhadas (retire a carne da tripa)
> 500 g de lombo de porco cortado em cubos
> 1 peito de frango cortado em cubos
> 2 cebolas grandes picadas
> 4 dentes de alho amassados
> 3 tomates grandes sem pele e sem sementes picados
> 1 xícara (chá) de água
> 2 batatas grandes cozidas e picadas
> 500 g de guariroba cozida com sal e picada
> pimenta-de-bode picada e sal a gosto
> 4 colheres (sopa) de cheiro-verde picado

PREPARO

Massa

Em uma tigela, coloque a água morna, o sal, o óleo, os ovos, a manteiga e bata bem com um batedor de arame. Adicione o fermento, a farinha de trigo, aos poucos, e sove até que a massa desgrude das mãos. Deixe descansar por 2 horas.

Recheio

Em uma panela, aqueça o óleo e frite a linguiça até dourar, retire e reserve. Na mesma panela, frite o lombo e reserve. Por último, frite o peito de frango e reserve. Com a gordura que sobrou na panela, frite a cebola, o alho e o tomate. Junte a água, a linguiça, o lombo e o frango. Deixe cozinhar até que o líquido seque. Adicione as batatas, a guariroba, pimenta-de-bode e sal. Desligue, acrescente o cheiro-verde, misture e deixe esfriar.

Montagem

Abra 2/3 da massa com um rolo e, com ela, forre o fundo e a lateral de uma forma redonda grande de aro removível. Despeje o recheio na forma e abra a massa restante para cobrir o empadão. Pincele a gema batida e leve ao forno preaquecido em temperatura média por 40 minutos. Deixe esfriar um pouco, desenforme e sirva.

* RENDIMENTO: 15 porções

* TEMPO DE PREPARO: 3 horas

INGREDIENTS

Dough

> 1 1/2 cups warm water
> 1/2 tbsp salt
> 1/3 cup oil
> 2 eggs
> 5 tbsp butter, room temperature
> 1 1/2 tsp baking powder
> 6 cups flour
> 1 egg yolk, beaten

Filling

> 2 tbsp oil
> 3 fresh sausages, crumbled (without casing)
> 500 g pork loin, cubed
> 1 chicken breast, cubed
> 2 large onions, chopped
> 4 cloves garlic, crushed
> 3 large tomatoes, skinned, de-seeded and diced
> 1 cup water
> 2 large potatoes, cooked and diced
> 500 g guariroba palm shoots, cooked with salt and chopped
> yellow lantern chili, chopped and salted to taste
> 4 tbsp parsley, green onion and herb mix, chopped

DIRECTIONS

Dough

In a bowl, whisk together warm water, salt, oil, eggs and butter. Add baking powder and slowly fold in flour. Knead until dough no longer sticks to hands. Let rest for 2 hours.

Filling

In a saucepan, heat oil and brown sausage. Remove and set aside. In the same pan, brown pork loin and set aside. Finally, brown chicken breast and set aside. With the remaining oil, sauté onion, garlic and tomato. Add water, sausage, pork loin and chicken. Let cook until liquid evaporates. Add potatoes, guariroba palm shoots, pepper and salt. Remove from stove, add herb mix, and cool

Assembly

Roll out 2/3 of the dough and press into the bottom and sides of a large spring-form pan. Spread filling in dough-lined pan and roll out the remaining dough to cover the pot pie. Brush with beaten egg yolk and bake in pre-heated oven at 350° F (180° C) for 40 minutes. Cool, unmold and serve.

** SERVING: 15 portions*

** PREP TIME: 3 hours*

PAMONHA SALGADA

Savory Corn Tamales

INGREDIENTES

- 2 kg de milho em espiga com a palha
- 800 g de linguiça de porco cozida em água e picada
- 300 g de bacon picado
- 1 e 1/4 de xícara (chá) de água quente
- 3 pimentas-de-cheiro picadas
- 1/3 de xícara (chá) de óleo
- 1 xícara (chá) de queijo minas padrão ralado
- 3 colheres (sopa) de cheiro-verde picado
- sal a gosto

PREPARO

Retire a palha das espigas de milho e reserve-as. Rale as espigas e reserve. Em uma frigideira, frite a linguiça e o bacon na sua própria gordura. Reserve. Em uma tigela, coloque o milho ralado e misture, rapidamente, a água quente. Adicione a pimenta, o óleo, o queijo, o cheiro-verde, sal, a linguiça e o bacon. Junte várias palhas de milho, formando uma trouxinha. Encha-a com a mistura de milho e amarre com um barbante. Repita esse procedimento até terminar a mistura de milho. Coloque as trouxinhas em uma panela grande com água fervente e deixe cozinhar por 30 minutos. Retire e sirva as pamonhas nas trouxinhas abertas.

* RENDIMENTO: 10 porções

* TEMPO DE PREPARO: 1 hora e 15 minutos

INGREDIENTS

- *2 kg corn on the cob, with the husk*
- *800 g pork sausage, boiled and chopped*
- *300 g bacon, diced*
- *1 1/4 cups hot water*
- *3 Suriname yellow peppers, chopped*
- *1/3 cup oil*
- *1 cup fresh white cheese ("Minas" style), grated*
- *3 tbsp parsley, chopped*
- *salt to taste*

DIRECTIONS

Husk the corn and set aside the husks. Grate corn cobs and set aside. In a frying pan, fry sausage and bacon in their own fat. Set aside. In a bowl, combine grated corn and quickly incorporate hot water. Add pepper, oil, cheese, parsley, salt, sausage and bacon. Gather several husks, forming a packet. Fill with corn mixture and tie with string. Repeat until all corn mixture has been used. Place packets in a large pot of boiling water and cook for 30 minutes. Remove and serve tamales in open packets.

** SERVING: 10 portions*

** PREP TIME: 1 hour, 15 minutes*

GALINHADA

Galinhada

INGREDIENTES

> 1 galinha grande cortada em pedaços
> suco de meio limão
> sal a gosto
> 4 colheres (sopa) de óleo
> 1 cebola média picada
> 3 dentes de alho picados
> 2 folhas de louro
> 3 tomates sem pele e sem sementes picados
> 1 pimentão vermelho picado
> 1/4 de pimentão verde picado
> 2 xícaras (chá) de arroz
> 4 xícaras (chá) de água quente
> 1 xícara (chá) de cheiro-verde picado

PREPARO

Tempere a galinha com o suco de limão e sal. Em uma panela grande, aqueça o óleo e frite a galinha até começar a dourar. Junte a cebola, o alho, o louro e frite mais um pouco. Acrescente os tomates, os pimentões, o arroz e sal. Adicione a água quente e cozinhe em fogo médio, com a panela tampada, até secar. Se o arroz ainda estiver duro, coloque mais um pouco de água quente e deixe secar. Desligue e misture o cheiro-verde. Sirva a seguir.

* RENDIMENTO: 6 porções

* TEMPO DE PREPARO: 50 minutos

INGREDIENTS

> 1 large chicken, quartered
> juice of 1/2 lime
> salt to taste
> 4 tbsp oil
> 1 medium onion, chopped
> 3 cloves garlic, diced
> 2 bay leaves
> 3 large tomatoes, skinned, de-seeded and diced
> 1 red bell pepper, chopped
> 1/4 green bell pepper, chopped
> 2 cups rice
> 4 cups hot water
> 1 cup parsley, green onion and herb mix, chopped

DIRECTIONS

Season chicken with lime juice and salt. In a large pot, heat oil and fry chicken until it begins to brown. Add onion, garlic and bay leaves. Add tomatoes, bell peppers, rice and salt. Add hot water, cover and cook over medium heat until all water is absorbed. If the rice is undercooked, add hot water and cook until absorbed. Remove from heat and add parsley. Serve immediately.

** SERVING: 6 portions*

** PREP TIME: 50 minutes*

PASTEL DE GUARIROBA

Pastry Pockets Filled with Guariroba Palm Shoot

INGREDIENTES

- 500 g de guariroba
- 3 colheres (sopa) de manteiga
- 1 cebola grande picada
- 1 xícara (chá) de purê de tomate
- 1 e 1/2 colher (sopa) de salsa picada
- 1/2 xícara (chá) de água
- 3 colheres (sopa) de farinha de trigo
- 2 xícaras (chá) de leite
- sal e pimenta-do-reino a gosto
- 1 rolo de massa para pastel
- óleo para fritar

PREPARO

Cozinhe a guariroba em água e sal até ficar macia e escorra. Deixe esfriar, pique e reserve. Em uma panela, derreta a manteiga e frite a cebola até dourar levemente. Junte a guariroba picada, o purê de tomate, a salsa e a água. Dissolva a farinha de trigo no leite (bata com um batedor de arame) e despeje na panela, mexendo sempre, até engrossar. Tempere com sal, pimenta-do-reino e desligue. Deixe esfriar e monte os pastéis. Coloque porções do recheio sobre a massa e feche os pastéis, apertando as bordas com um garfo para não abrir. Frite em óleo quente e sirva a seguir.

* RENDIMENTO: 15 porções

* TEMPO DE PREPARO: 1 hora e 30 minutos

INGREDIENTS

- *500 g guariroba palm shoots*
- *3 tbsp butter*
- *1 large onion, chopped*
- *1 cup tomato puree*
- *1 1/2 tbsp chopped parsley*
- *1/2 cup water*
- *3 tbsp flour*
- *2 cups milk*
- *salt and pepper to taste*
- *1 roll of pastry dough*
- *oil for frying*

DIRECTIONS

Cook the palm shoots in salted water until soft. Drain. Cool, chop and set aside. In a saucepan, melt butter and sauté onion until lightly browned. Add chopped palm shoots, tomato puree, parsley and water. Whisk together flour and milk and add to palm shoot mixture, stirring constantly until thickened. Season with salt and pepper and remove from heat. Cool and assemble pastries. Spoon filling over pastry and fold to close, pressing sides with a fork so that they do not open. Fry in hot oil and serve immediately.

** SERVING: 15 portions*

** PREP TIME: 1 hour, 30 minutes*

BOLINHO DE ARROZ

Rice Cake

INGREDIENTES

> 500 g de fubá de arroz (ou farinha de arroz)
> 250 g de margarina sem sal
> 1 concha grande de óleo bem quente
> 2 ovos
> 250 g de farinha de trigo
> 250 g de açúcar refinado
> 250 g de queijo curado ralado com pouco sal
> 2 e 1/4 xícaras (chá) de leite
> 1 colher (sopa) de fermento em pó

PREPARO

Em uma tigela grande, misture bem o fubá de arroz, a margarina e o óleo quente. Acrescente os ovos, a farinha de trigo, o açúcar e o queijo ralado. Vá adicionando o leite, aos poucos, mexendo com as mãos até formar uma massa homogênea. Acrescente o fermento e misture. Cubra a tigela com um filme plástico e leve à geladeira por, no mínimo, 8 horas e, no máximo, 5 dias. Coloque a massa em forminhas para queijadinha (nº 7) untadas e enfarinhadas. Asse em forno preaquecido em temperatura média, até dourar bem a superfície. Retire do forno e deixe amornar.

* RENDIMENTO: 15 porções

* TEMPO DE PREPARO: 8 horas e 50 minutos

INGREDIENTS

> 500 g rice flour
> 250 g unsalted butter
> 1 large ladle of very hot oil
> 2 eggs
> 250 g all purpose flour
> 250 g granulated sugar
> 250 g hard cheese, grated with a pinch of salt
> 2 1/4 cups milk
> 1 tbsp baking powder

DIRECTIONS

In a large bowl, mix rice meal, butter and hot oil well. Add eggs, all purpose flour, sugar and grated cheese. Slowly add milk, mixing with hands until forming homogenous dough. Add baking powder and mix. Cover the bowl with plastic wrap and chill for at least 8 hours, though not longer than 5 days. Place dough in greased, floured, cup cake pan. Bake in pre-heated oven at 350° F (180° C) until golden brown. Remove and cool.

** SERVING: 15 portions*

** PREP TIME: 8 hours, 50 minutes*

PACU COM PIRÃO DE LEITE DE COCO

Pacu Fish with Manioc and Coconut Milk Sauce

INGREDIENTES

> 3 pacus médios cortados em postas finas
> sal e pimenta-do-reino a gosto
> suco de 2 limões
> 3 dentes de alho amassados
> 1/2 xícara (chá) de azeite
> 1 cebola grande ralada
> 3 tomates maduros sem pele e sem sementes
> 1 xícara (chá) de água
> 1 vidro de leite de coco (200 ml)
> 3/4 de xícara (chá) de farinha de mandioca crua

PREPARO

Tempere os pacus com sal, pimenta, o suco de limão e o alho. Deixe tomar gosto durante 30 minutos; escorra as postas reservando o tempero e coloque-as em uma assadeira. Leve ao forno preaquecido em temperatura média-alta e asse por 30 minutos, ou até que o peixe fique macio. Em uma panela, coloque metade do azeite e refogue a cebola e os tomates até amolecerem. Junte o tempero do pacu, a água, o leite de coco e deixe ferver. Abaixe o fogo e misture rapidamente a farinha de mandioca, até engrossar. Se você preferir um pirão mais mole, acrescente um pouco de água. Prove o sal e sirva o pirão com o pacu assado.

* RENDIMENTO: 8 porções

* TEMPO DE PREPARO: 1 hora e 10 minutos

INGREDIENTS

> 3 pacu fish, filleted
> salt and pepper to taste
> juice of 2 limes
> 3 cloves garlic, crushed
> 1/2 cup olive oil
> 1 large onion, grated
> 3 large, ripe tomatoes, skinned and de-seeded
> 1 cup water
> 1 bottle (200 ml) coconut milk
> 3/4 cup raw manioc flour

DIRECTIONS

Season pacu filets with salt, pepper, lime juice and garlic. Marinate for 30 minutes. Drain, reserving the marinade, and place filets in a baking dish. Bake in preheated oven at 425° F (220° C) for 30 minutes or until fish is tender. In a saucepan, sauté onion and tomatoes in half of the olive oil until soft. Add marinade, water and coconut milk and bring to a boil. Reduce heat and quickly incorporate manioc flour until thickened. For a thinner sauce, add water. Serve pacu with sauce.

** SERVING: 8 portions*

** PREP TIME: 1 hour, 10 minutes*

CAJU-PASSA

Dried Cashew Fruit

INGREDIENTES

> 16 cajus maduros e firmes
> 2 xícaras (chá) de açúcar refinado ou cristal
> 1/2 xícara (chá) de água

PREPARO

Retire as castanhas dos cajus, fure-os com um garfo e esprema-os levemente para retirar um pouco de suco. Em uma panela, coloque os cajus, o açúcar e a água. Leve ao fogo baixo e cozinhe até que os cajus se desidratem bastante e fiquem bem dourados (cerca de 1 hora e 30 minutos). Escorra os cajus ainda quentes em um escorredor ou peneira de metal. Conserve-os em recipiente de vidro fechado.

* RENDIMENTO: 8 porções

* TEMPO DE PREPARO: 1 hora e 40 minutos

INGREDIENTS

> 16 firm, ripe cashew fruits
> 2 cups granulated or crystal sugar
> 1/2 cup water

DIRECTIONS

Remove cashew nuts, poking holes in the fruits with a fork and squeezing them lightly to remove some of the juice. Place cashew fruits, sugar and water in a saucepan. Cook over low heat until the cashews begin to dry and are very brown (approximately 1 hour and 30 minutes). Drain fruit while hot. Conserve in jars.

** SERVING: 8 portions*

** PREP TIME: 1 hour, 40 minutes*

Ana Rita Dantas Suassuna nasceu em Taperoá (PB). Licenciada em Línguas Neo-Latinas pela Universidade do Recife e Especialista em Educação pela Universidade Católica de Pernambuco, Ana Rita passou grande parte de sua vida profissional trabalhando no Ministério da Educação, em Brasília. Grande representante da cultura gastronômica sertaneja, ela fez um extenso apanhado cultural da região Nordeste: seu livro, Gastronomia Sertaneja – Receitas que Contam Histórias (2010), traz uma leitura histórica e antropológica dos hábitos do semiárido brasileiro, da sua culinária e da sua tradição.

NORDESTE

POR ANA RITA DANTAS SUASSUNA

Nasci em Taperoá, na Paraíba, em 1933. Lá, vivi até os 10 anos. Passava férias escolares na Fazenda São Pedro, no sertão de Pernambuco, e ia algumas vezes a Campina Grande, na Paraíba, para festejos com familiares. Nesse cenário foi moldada minha educação alimentar. Os princípios da cultura familiar, à mesa, eram bem nítidos: todos os membros em torno dela na hora das refeições (dizia-se: "Quando não come todo mundo junto, a comida não dá."); nada do que estava na mesa podia ser desperdiçado ou recusado; sem acabar o que estava no prato, ninguém podia se levantar da mesa ou pedir algo diferente do que era oferecido. Aprendi a comer e a valorizar os alimentos!

Dessa mesa de infância ficou a lembrança da fartura, da variedade de pratos simples e saborosos, de fácil preparo, a exemplo do feijão-verde, ou seco, cozido com "misturas": toucinho, vísceras, língua, mocotós, capas de costelas de porco, bode ou carneiro, cascão de queijo de manteiga que derretia no caldo, carne de charque ou de sol, verduras – servido como prato único, ou não, no almoço. Havia a prática de uma cozinha com poucos ingredientes e multiplicidade de combinações. As pequenas cidades, no semiárido do Nordeste, adotavam as mesmas práticas: uma comida autêntica, simples, econômica e, sobretudo, saborosa.

No Recife, onde morei e terminei os meus estudos universitários, muito do trivial sertanejo foi preservado na alimentação da família. Foram introduzidos pratos com uso de crustáceos e peixes do mar, frutas como jambo, tamarindo, mangaba, pitomba, carambola, pitanga; fruta-pão no café da manhã ou na ceia, alternando com tapioca, cuscuz, mugunzá... O macarrão passou a ser frequente. O casamento levou-me para Campina Grande, onde nasceram meus três filhos. Importante entreposto comercial e polo educacional do Nordeste, a cidade é cercada por minifúndios produtivos e pujantes feiras livres. Ali a comida do dia a dia incluía maior variedade de frutas, como jabuticaba, jaca, seriguela, cajá; verduras, carne bovina fresca, coelho, macarrão, batata-inglesa, pães, biscoitos e bolachas. Sorvetes e chocolates eram iguarias especiais.

A cozinha do Nordeste, com toda a sua diversidade, pode ser demarcada por duas vertentes: a do litoral e a do interior. Nem tudo se reduz à cozinha de Salvador, tida como representativa da região. Feijão, arroz, macarrão e carnes frescas, ao lado do cará, inhame, macaxeira, batata-doce, jerimum, goma, coco, quiabo, maxixe, bredo, rapadura e mel de rapadura; doces de frutas locais, queijo de coalho, farinha de mandioca são alimentos comuns tanto no litoral quanto no interior. A diferença está no consumo, pela cozinha litorânea, de muitas comidas com frutos do mar. Também maior quantidade de frutas e hortaliças. O interior, nas áreas urbanas e rurais, diversifica-se com inúmeras comidas à base de milho (cuscuz, xerém, mugunzá...), queijo de manteiga, carne de sol, charque, carnes-secas de porco, carneiro e bode; peixes de açudes, rios e lagoas. Entretanto, poucos ingredientes são locais como a vinagreira, fuba*, farinha de milho, buriti, leite e óleo de coco babaçu... Isso permite o preparo da quase totalidade dos pratos da região em qualquer parte do país e ajuda a preservar a autenticidade de receitas típicas.

* Nota: O nome de uma de nossas comidas de milho, a fuba (pouco encontrada fora do semiárido), de variado uso, nunca é registrado corretamente. Em geral, as pessoas registram como fubá. FUBÁ não é FUBA. Para nós, o fubá é a massa fresca de milho que foi industrializada. A fuba, por sua vez, é o milho natural torrado, pisado e finamente peneirado.

Os temperos típicos: azeite de dendê, banha de porco, canela em pau e em pó, casca seca de laranja, castanha de caju, coentro fresco ou em sementes, colorau, enxúndia de galinha, leite de cabra ou de vaca, leite de coco e de babaçu, manteiga de garrafa e de nata, rapadura e vinagre de vinho e de caldo de cana.

Cada Estado do Nordeste tem, além de pratos comuns a todos, uns que lhes são mais representativos: arroz de cuxá, doce de buriti, torta de caranguejo, no Maranhão; bode ou carneiro ao leite de coco de babaçu, arroz com capote, doce de casca de limão estão no Piauí. Baião de dois, sarrabulho, doces de caju, no Ceará. Carne de sol com farofa d'água, chouriço, caranguejada são do Rio Grande do Norte. Na Paraíba, feijão-verde na manteiga de garrafa, arrumadinho, bode assado, arroz de leite salgado. Em Pernambuco estão o bolo de rolo, cartola, grude de goma, galinha de cabidela, pitu ao leite de coco. Alagoas com sururu de capote, charque na brasa com fava. Moqueca e carne de sol com pirão de leite de vaca, em Sergipe. A Bahia aparece com maior variedade: caruru, vatapá, acarajé, abará, arroz de hauçá, xinxim de galinha...

O modelo econômico de franquias alimentares que atua no mundo inteiro como decorrência da globalização não deixou que capitais e cidades médias do Nordeste ficassem incólumes a tais influências. As novas gerações passaram a adotar cópias de cardápios de outros países, em detrimento da manutenção do que é genuinamente nosso. Por outro lado, essas influências permitiram que comidas típicas da Região fossem disseminadas no Brasil e mundo afora, tais como: carne de sol, tapioca, manteiga de garrafa, feijão-verde, cocada, bolo de rolo e Souza Leão, vatapá, baião de dois, moqueca, cachaça, rompendo com antigos preconceitos contra essa culinária e até permitindo maior garantia de preservação do que é típico.

Acredito que, apesar de tais modificações, nada afetará a essência da culinária nordestina. O legado sobre o assunto contido na obra de Câmara Cascudo, Gilberto Freyre, Josué de Castro e de tantos outros expoentes da Região, protege o patrimônio cultural que é a cozinha regional brasileira. São conhecimentos transcendentais, prestam-se a atualizações, adaptam-se a circunstâncias e não envelhecem porque se tornaram universais.

BAHIA

FITAS DO SENHOR DO BONFIM / *RIBBONS OF OUR LORD OF BONFIM*

Ana Rita Dantas Suassuna was born in Taperoá, Paraíba State. She earned her degree in modern romance languages from the University of Recife and specialized in education at the Pernambuco Catholic University. Ana Rita spent a great deal of her professional life working for the Ministry of Education in Brasília. An important emissary of Brazilian hinterland cuisine, she has done extensive cultural research on the Brazilian northeast: her book, Gastronomia Sertaneja – Receitas que Contam Histórias (2010), offers historical and anthropological insights on the people of the Brazilian semi-arid region, on their cuisine and their traditions.

NORTHEAST

BY ANA RITA DANTAS SUASSUNA

I was born in Taperoá, Paraíba, in 1933. I lived there until I was 10. I would spend summer vacation at the São Pedro Farm in the Pernambuco hinterland, visiting Campina Grande, in Paraíba, for family get-togethers. It was in this period that my culinary education began. The family culture at the table were apparent: all members of the family at the table at meal time (they said: "When everyone doesn't eat together, there isn't enough food to go around."); nothing that was on the table could be wasted or refused; without finishing what was on your plate no one could leave the table or ask for something different. I learned to eat and appreciate food!

From this childhood table remained the memory of abundance, of variety of simple, easy to prepare yet flavorful dishes like lima beans cooked with "mixtures": bacon, liver, tongue, pork, goat or lamb ribs, the crust of butter cheese that would melt in the sauce, salted or sun dried jerked beef, vegetables served as a one-dish lunch. People had a habit of cooking with few ingredients in a multiplicity of combinations. The small towns of the semi-arid region of northeast Brazil adopted the same practices: authentic, simple, cheap and, above all, tasty food.

In Recife, where I lived and finished my university studies, much of the simple hinterland food was preserved in family meals. But we also added dishes that included crustaceans and fish, fruits like plum rose, tamarind, mangaba, pitomba, star fruit, Brazilian cherries; bread fruit for breakfast or dinners, alternated with tapioca, cuscuz, canjica pudding... Spaghetti became frequent. Marriage took me to Campina Grande where my three children were born. An important commercial post and educational hub of the northeast, the city is surrounded by small farms and lively street fairs. There, day-to-day food included a wide variety of fruits like jaboticaba, jackfruit, jacote, cajá, vegetables, fresh beef, rabbit, spaghetti, potatoes, breads, cookies and crackers. Ice cream and chocolate were delicacies.

Northeastern cuisine, with all its diversity, can be divided into two styles: coastal and rural. Not everything can be reduced to the foods of Salvador, generally understood as representative of the region. Rice, beans, spaghetti and fresh meats side by side with cará, inhame,manioc, sweet potatoes, pumpkin, gum, coconut, okra, burr cucumber, bredo, molasses, sweets from local fruits, coalho cheese and manioc flour are the common foundation of coastal and inland cuisine. The difference, however, is the coastal use of seafood, as well as more fruits and vegetables. In inland cities and rural areas, diversity came with innumerable corn-based foods (couscous, corn meal, canjica...), butter cheese, sun dried meat, charqui, dried pork, goat and lamb, fresh water fish. Few ingredients are local like fuba*, corn meal, Moriche palm, roselle, buriti, babaçu coconut milk and oil... This allows the preparation of almost all regional dishes in any part of the country and helps preserve the authenticity of typical recipes.

* A small reminder: The name of one of our corn-based foods, fuba (rarely found outside the semi-arid region), used in various dishes, is never recorded correctly. Generally, people write it as fubá. FUBÁ is not FUBA. For us, fubá is an industrialized fresh corn meal. Fuba is toasted corn, ground and finely sifted.

The most typical seasonings are: palm oil, lard, cinnamon, dried orange zest, cashew nuts, fresh cilantro or cilantro seeds, annatto, chicken fat, goat or cow's milk, babaçu coconut milk, clarified butter and cream, molasses, and sugarcane and wine vinegar.

In addition to the dishes that are common among them, each northeastern state has its own characteristic dishes: cuxá rice, buriti fruit marmelade, and mangrove crab casserole from Maranhão; goat or lamb with babaçu coconut milk, rice with guinea fowl, lime zest compote from Piauí. Baião de dois rice, lamb stew, cashew fruit compotes found in Ceará. Sun-dried jerked beef with toasted manioc flour, blood sausage and crabs are from Rio Grande do Norte. In Paraíba, lima beans in clarified butter, lima beans and jerked beef on a plate, roasted goat, savory rice cooked with milk and in Pernambuco you have guava jellyrolls, fried banana with cheese and cinnamon, coconut and tapioca gum cake, chicken blood stew, painted river prawn in coconut milk. Alagoas brings charru mussels on the shell, jerked beef barbecue with fava beans. Fish stew and sun-dried jerked beef with manioc meal with milk are from Sergipe. Bahia offers the biggest variety: caruru, vatapá, acarajé, abará, Hausa rice, xinxim chicken...

The international restaurant chains that arose with globalization have not left northeastern cities unscathed. The new generations have adopted copies of menus from other countries in detriment to the maintenance of what is truly ours. On the other hand, these influences allowed regional foods to be disseminated throughout Brazil and around the world, including: sun-dried jerked beef, tapioca, clarified butter, lima beans, candied coconut, guava jellyrolls and manioc-coconut cake, shrimp bisque, the Baião de dois rice, fish stew, cachaças, breaking old prejudices about this cuisine and increasing the preservation of typical foods.

I believe that, despite these changes, nothing will affect the essence of northeastern cuisine. The heritage in the works of Câmara Cascudo, Gilberto Freyre, Josué de Castro and many others who have written on the subject protect the cultural heritage that is regional Brazilian food. This is transcendental knowledge that lends itself to modernization, adapts to circumstances and is timeless because it becomes as universal as knowing.

PERNAMBUCO

MARACATU RURAL, EM NAZARÉ DA MATA / *MARACATU RURAL FOLK FESTIVAL, NAZARÉ DA MATA*

MARANHÃO

POVOADO DE ALAZÃO, NOS LENÇÓIS MARANHENSES

ALAZÃO VILLAGE, IN LENCÓIS MARANHENESES

BAHIA

FESTA DE IEMANJÁ, EM SALVADOR / *FESTIVAL OF IEMANJÁ, IN SALVADOR*

SERGIPE

FESTA JUNINA NO VILAREJO DE ÁGUADAS, EM CARMÓPOLIS / *JUNE FESTIVAL IN THE VILLAGE OF ÁGUADAS, IN CARMÓPOLIS*

BAHIA - IGREJA NOSSA SENHORA DO ROSÁRIO DOS PRETOS, EM SALVADOR / *CHURCH OF OUR LADY OF THE ROSARY OF BLACK MEN, IN SALVADOR*

MARANHÃO - CAIXEIRAS DO DIVINO, EM ALCÂNTARA / *DRUMMERS OF THE DIVINE, IN ALCÂNTARA*

BAHIA

CHAPADA DIAMANTINA / *CHAPADA DIAMANTINA*

CEARÁ

PESCADOR DE LAGOSTA, NA PRAIA DE PONTA GROSSA / *LOBSTER FISHER, ON PONTA GROSSA BEACH*

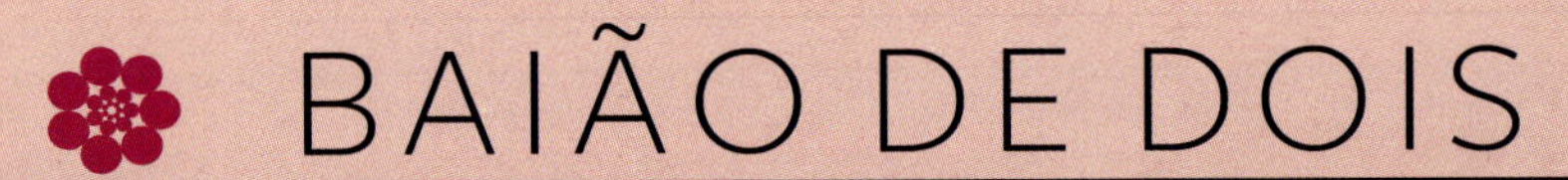

BAIÃO DE DOIS

Baião de Dois Rice

INGREDIENTES

> 3 xícaras (chá) de feijão-verde ou feijão-de-corda
> 1 cebola grande picada
> 2 dentes de alho amassados
> 1 pimenta-de-cheiro amarela
> 4 colheres (sopa) de óleo
> 2 e 1/2 xícaras (chá) de arroz
> sal a gosto
> 5 xícaras (chá) de água quente
> 400 g de carne de charque, cozida e picada
> 2 colheres (sopa) de coentro picado
> 150 g de queijo coalho cortado em fatias

PREPARO

Cozinhe o feijão até ficar "al dente" e reserve. Em uma panela, frite no óleo a cebola, o alho e a pimenta. Adicione o arroz e frite até que fique transparente. Junte sal, o feijão e a água quente. Cozinhe em fogo baixo e, na metade do cozimento, acrescente a carne de charque. Quando o arroz estiver macio e sem água, desligue, polvilhe o coentro e espalhe o queijo sobre ele. Tampe novamente e espere 5 minutos para amolecer o queijo antes de servir.

* RENDIMENTO: 7 porções

* TEMPO DE PREPARO: 1 hora e 30 minutos

INGREDIENTS

> 3 cups lima beans or black eyed peas
> 1 large onion, chopped
> 2 cloves garlic, crushed
> 1 Suriname yellow pepper
> 4 tbsp oil
> 2 1/2 cups rice
> salt to taste
> 5 cups hot water
> 400 g jerked beef, cooked and chopped
> 2 tbsp cilantro, chopped
> 150 g coalho cheese, sliced

DIRECTIONS

Cook beans until "al dente" and set aside. In a saucepan, sauté onion, garlic, and pepper in oil. Add rice and sauté until transparent. Add salt, beans and hot water. Cook over low heat and, in middle of cooking, add salted meat. When rice is soft and dry, remove from heat, sprinkle cilantro and cheese. Cover and wait 5 minutes to melt cheese before serving.

** SERVING: 7 portions*

** PREP TIME: 1 hour, 30 minutes*

MOQUECA DE CAMARÃO

Shrimp Stew

INGREDIENTES

> 1 kg de camarões médios sem cascas e limpos
> suco de 2 limões
> 2 dentes de alho amassados
> sal a gosto
> 3 tomates firmes cortados em fatias e sem sementes
> 2 cebolas médias cortadas em fatias
> 1 pimentão vermelho cortado em pedaços grandes
> 1 pimentão verde cortado em pedaços grandes
> 1 vidro de leite de coco (200 ml)
> 1/2 xícara (chá) de azeite de dendê
> 2 colheres (sopa) de coentro picado

PREPARO

Tempere os camarões com o suco de limão, o alho e sal. Deixe tomar gosto, por 30 minutos, na geladeira. Em uma panela grande, coloque 1/3 dos tomates, das cebolas e dos pimentões. Polvilhe um pouco de sal e coloque metade dos camarões. Faça mais uma camada com 1/3 dos tomates, das cebolas e dos pimentões, polvilhe sal e distribua os camarões restantes. Coloque os ingredientes restantes, polvilhe sal e regue o leite de coco e o azeite de dendê. Tampe a panela e leve ao fogo baixo, por 30 minutos, ou até que o camarão fique cozido.

* RENDIMENTO: 6 porções

* TEMPO DE PREPARO: 1 hora

INGREDIENTS

> 1 kg medium shrimps, peeled
> juice of 2 limes
> 2 cloves garlic, crushed
> salt to taste
> 3 firm tomatoes, deseeded and sliced
> 2 medium onions, sliced
> 1 red bell pepper cut into large pieces
> 1 red bell pepper cut into large pieces
> 1 bottle (200 ml) coconut milk
> 1/2 cup dendê palm oil
> 2 tbsp cilantro, chopped

DIRECTIONS

Season shrimps with salt, lime juice and garlic. Marinate for 30 minutes in refrigerator. In a large pot, place a third of tomatoes, onions and bell pepper. Salt and add half of shrimps. Add a layer of one third of tomatoes, onions, bell pepper, salt and add remaining shrimps. Place remaining ingredients on top, salt and add coconut milk and dendê palm oil. Cover and cook over low heat for 30 minutes until shrimps are cooked.

** SERVING: 6 portions*

** PREP TIME: 1 hour*

CARURU

Caruru

INGREDIENTES

- 250 g de camarões secos descascados
- 2 cebolas grandes
- 3 tomates médios
- 3 dentes de alho
- 6 ramos de coentro
- 1 pimentão verde
- 4 ramos de hortelã
- 5 ramos de salsa
- 1/2 xícara (chá) de castanha-de-caju torrada
- 1/2 xícara (chá) de amendoim torrado sem casca
- 1 xícara (chá) de azeite de dendê
- 1,5 kg de quiabo picado em pedaços médios e bem lavados
- 2 colheres (sopa) de vinagre
- sal e pimenta-malagueta a gosto

PREPARO

Coloque os camarões secos em uma assadeira e leve ao forno quente para retirar toda a umidade. Reserve. Bata no liquidificador as cebolas, os tomates, os dentes de alho, o coentro, o pimentão, a hortelã, a salsa e duas xícaras (chá) de água. Reserve. Separadamente, bata a castanha, o amendoim e os camarões secos, já frios. Reserve. Leve ao fogo alto uma panela com um litro de água, meia xícara (chá) de azeite de dendê e o quiabo. Quando ferver, acrescente os temperos batidos reservados e cozinhe por 20 minutos, mexendo de vez em quando. Adicione o vinagre e misture. Junte a castanha, o amendoim, o camarão e o azeite de dendê restante. Cozinhe por mais 20 minutos, mexendo de vez em quando. Se necessário, acrescente água aos poucos. Prove o sal e adicione pimenta a gosto.

* RENDIMENTO: 10 porções

* TEMPO DE PREPARO: 1 hora e 10 minutos

INGREDIENTS

- *250 g dried shrimp, peeled and devained*
- *2 large onions*
- *3 medium tomatoes*
- *3 cloves garlic*
- *6 cilantro sprigs*
- *1 green bell pepper*
- *4 mint sprigs*
- *5 parsley sprigs*
- *1/2 cup roasted cashew nuts*
- *1/2 cup roasted peanuts*
- *1 cup dendê palm oil*
- *1.5 kg okra, washed and sliced*
- *2 tbsp vinegar*
- *salt and malagueta chili pepper, to taste*

DIRECTIONS

Place dried shrimp in a baking pan and broil until dry. Set aside. In a blender, mix onions, tomatoes, garlic, cilantro, bell pepper, mint, parsley and 2 cups water. Set aside. Separately, blend cashews, peanuts and cooled dried shrimp. Set aside. In a large pot, bring to a boil one liter of water, 1/2 cup dendê palm oil and okra over high heat. Add tomato and onion mixture and cook for 20 minutes, stirring occasionally. Add vinegar and mix. Add shrimp mixture and remaining palm oil. Cook for another 20 minutes, stirring occasionally. If necessary, slowly add water. Salt and pepper to taste.

** SERVING: 10 portions*

** PREP TIME: 1 hour, 10 minutes*

ACARAJÉ

Acarajé

INGREDIENTES

Bolinho

- 500 g de feijão-fradinho
- 2 cebolas raladas
- sal a gosto
- azeite de dendê para fritar

Vatapá

- 300 g de camarões secos dessalgados
- 2 pães do tipo francês
- 3 vidros de leite de coco (600 ml)
- 1/2 xícara (chá) de amendoim torrado sem pele
- 1/2 xícara (chá) de castanha-de-caju torrada
- 1 colher (sopa) de gengibre picado
- 1 cebola picada
- 2 dentes de alho
- 1 pimenta dedo-de-moça
- 1/4 xícara (chá) de azeite de dendê
- sal e coentro moído a gosto

Vinagrete

- 3 tomates sem sementes picados
- 1 cebola picada
- 1 colher (sopa) de coentro picado
- sal, pimenta-do-reino e azeite a gosto

PREPARO

Bolinho

Bata o feijão cru no processador para quebrá-lo um pouco. Coloque-o de molho por 12 horas. Escorra, retire a pele e coloque no processador de alimentos com as cebolas e o sal. Triture bem até formar uma massa homogênea. Transfira para uma tigela e bata com uma colher para aerar. Aqueça o azeite de dendê em uma frigideira de bordas altas e coloque colheradas da massa para fritar. Escorra em papel-toalha.

Vatapá

Coloque os camarões secos em uma assadeira e leve ao forno quente para retirar toda a umidade. Reserve. Coloque os pães de molho no leite de coco por 2 horas. Passe para o liquidificador. Junte o amendoim, a castanha-de-caju, o gengibre, a cebola, o alho, o camarão seco e a pimenta. Bata bem até a mistura ficar homogênea. Passe para uma panela e cozinhe em fogo baixo por 20 minutos. Junte o azeite de dendê, sal e coentro moído. Desligue e reserve.

Vinagrete

Em uma tigela, misture os tomates, a cebola, o coentro, sal, pimenta-do-reino e azeite.

Montagem

Corte os bolinhos ao meio e recheie com o vatapá e o vinagrete. Sirva a seguir.

* RENDIMENTO: 12 porções

* TEMPO DE PREPARO: 13 horas

INGREDIENTS

Batter

- *500 g black eyed peas*
- *2 onions, grated*
- *salt to taste*
- *dendê palm oil for frying*

Vatapá

- *300 g dried shrimp, desalted*
- *2 baguettes*
- *3 bottles (600 ml) coconut milk*
- *1/2 cup roasted peanuts*
- *1/2 cup roasted cashew nuts*
- *1 tbsp ginger, chopped*
- *1 onion, chopped*
- *2 cloves garlic*
- *1 red chili*
- *1/4 cup dendê palm oil*
- *salt and ground cilantro seeds, to taste*

Vinaigrette

- *3 tomatoes, de-seeded and chopped*
- *1 onion, chopped*
- *1 tbsp cilantro, chopped*
- *salt, pepper and olive oil to taste*

DIRECTIONS

Batter

Blend raw beans in food processor to break a bit. Soak for 12 hours. Drain, peel and mix in food processor with onion and salt. Mix well until forming a homogenous paste. Place in bowl and whisk to aerate. Heat dendê palm oil in a deep frying pan and spoon batter into oil to fry. Drain on paper towels.

Vatapá

Place dried shrimp in a baking pan and broil until dry. Set aside. Soak baguettes in coconut milk for 2 hours. In a blender, mix bread, peanuts, cashews, ginger, onion, garlic, dried shrimp and pepper. Mix until homogenous. Transfer to pot and cook over low heat for 20 minutes. Add dendê palm oil, salt and ground cilantro. Remove from heat and set aside.

Vinaigrette

In a bowl, mix tomatoes, onion, cilantro, salt, pepper and olive oil.

Assembly

Cut fried black eyed pea balls in half and fill with vatapá and vinaigrette. Serve immediately.

** SERVING: 12 portions*

** PREP TIME: 13 hours*

ARROZ DE CUXÁ

Cuxá Rice

INGREDIENTES

- 500 g de camarões secos sem casca
- 1/2 xícara (chá) de farinha de mandioca
- 1 xícara (chá) de gergelim torrado
- 1 maço pequeno de vinagreira ou espinafre
- 2 colheres (sopa) de óleo
- 2 dentes de alho amassados
- 1 cebola média picada
- 2 tomates grandes sem pele e sem sementes picados
- 500 g de camarões frescos pequenos
- 3 xícaras (chá) de água
- 2 colheres (sopa) de salsa picada
- 2 colheres (sopa) de cebolinha picada
- 2 colheres (sopa) de coentro picado
- 5 xícaras (chá) de arroz cozido

PREPARO

Coloque os camarões secos em uma assadeira e leve ao forno quente para retirar toda a umidade. No liquidificador ou processador, coloque os camarões secos, a farinha de mandioca e o gergelim torrado. Bata bem até formar uma mistura homogênea. Reserve. Em uma panela, cozinhe a vinagreira em água e sal até que fique macia. Escorra, esprema, pique bem e reserve. Coloque o óleo em uma panela e frite o alho e a cebola. Acrescente os tomates e refogue até que fiquem macios. Junte os camarões frescos e cozinhe até que eles percam a transparência. Adicione a mistura de camarões secos batidos, a vinagreira picada, a água e cozinhe, mexendo de vez em quando, até obter um molho não muito grosso. Retire do fogo e misture a salsa, a cebolinha e o coentro. Coloque o arroz cozido e quente em um refratário e despeje o molho por cima. Sirva a seguir.

* RENDIMENTO: 6 porções

* TEMPO DE PREPARO: 40 minutos

INGREDIENTS

- *500 g dried shrimp, peeled*
- *1/2 cup manioc flour*
- *1 cup toasted sesame seeds*
- *1 small bunch roselle or spinach*
- *2 tbsp oil*
- *2 cloves garlic, crushed*
- *1 medium onion, chopped*
- *2 large tomatoes, skinned, de-seeded and diced*
- *500 g small fresh shrimp*
- *3 cups water*
- *2 tbsp parsley, chopped*
- *2 tbsp green onions, chopped*
- *2 tbsp cilantro, chopped*
- *5 cups cooked white rice*

DIRECTIONS

Place dried shrimp in a baking pan and broil until dry. Place dried shrimp, manioc flour and toasted sesame seeds in blender or food processor. Mix well until forming a homogenous paste. Set aside. In a saucepan, cook roselle in salted water until soft. Drain, squeeze out extra water, chop finely and set aside. Place oil in a saucepan and sauté garlic and onion. Add tomatoes and sauté until soft. Add fresh shrimp and cook until opaque. Add dried shrimp mixture, chopped roselle, water and cook, stirring occasionally until forming a thin sauce. Remove from heat and add parsley, green onions and cilantro. Add cooked rice and heat in a glass dish, covering with sauce. Serve immediately.

** SERVING: 6 portions*

** PREP TIME: 40 minutes*

CARNE DE SOL COM PIRÃO D'ÁGUA

Sun Dried Jerked Beef with Manioc Meal

INGREDIENTES

> 2 kg de carne de sol dessalgada
> 4 colheres (sopa) de manteiga de garrafa
> 3 xícaras (chá) de farinha de mandioca crua
> sal a gosto
> 1 e 1/2 xícara (chá) de água
> 3 colheres (sopa) de cebolinha picada

PREPARO

Cozinhe a carne de sol em água até ficar macia. Escorra e corte em pedaços grandes. Em uma frigideira, derreta a manteiga e frite a carne de sol, dourando dos dois lados. Mantenha quente. Em uma tigela, misture a farinha de mandioca e o sal. Aqueça a água, sem ferver, e despeje sobre a farinha de mandioca, mexendo até absorver o líquido. Acrescente a cebolinha e sirva com a carne de sol.

* RENDIMENTO: 8 porções

* TEMPO DE PREPARO: 1 hora

INGREDIENTS

> 2 kg sun dried jerked beef, desalted
> 4 tbsp clarified butter
> 3 cups raw manioc flour
> salt to taste
> 1 1/2 cups water
> 3 tbsp green onions, chopped

DIRECTIONS

Cook meat in water until soft. Drain and cut into large pieces. In a frying pan, melt butter and fry meat, browning both sides. Keep hot. In a bowl, mix manioc flour and salt. Heat water without boiling and pour over manioc flour, stirring until liquid is absorbed. Add green onion and serve with dried meat.

** SERVING: 8 portions*

** PREP TIME: 1 hour*

MUNGUZÁ

Canjica Pudding

INGREDIENTES

- > 500 g de milho para munguzá branco ou amarelo
- > 500 ml de leite de coco
- > 2 e 1/2 xícaras (chá) de açúcar
- > 1 pitada de sal
- > 1 colher (sopa) de manteiga
- > canela para polvilhar

PREPARO

Coloque o milho de molho em água por 12 horas. Escorra, coloque na panela de pressão e cubra com água, até quatro dedos acima do milho. Leve ao fogo por 30 minutos, contados após o início da pressão, e desligue. Abra a panela, ligue o fogo novamente, adicione o leite de coco, o açúcar, o sal, a manteiga e deixe ferver. Desligue e sirva quente polvilhado com a canela em pó.

* RENDIMENTO: 8 porções

* TEMPO DE PREPARO: 12 horas e 45 minutos

INGREDIENTS

- *> 500 g canjica (white corn)*
- *> 500 ml coconut milk*
- *> 2 1/2 cups sugar*
- *> pinch of salt*
- *> 1 tbsp butter*
- *> cinnamon for garnish*

DIRECTIONS

Soak corn in water for 12 hours. Drain, place in pressure cooker and cover with 4 inches of water. Cook for 30 minutes, counted from start of pressure. Remove from heat. Open cooker, return to heat, add coconut milk, sugar, salt and butter and let it cook. Remove from heat and garnish with cinnamon powder. Serve warm.

** SERVING: 8 portions*

** PREP TIME: 12 hours, 45 minutes*

COCADA

Candied Coconuts

INGREDIENTES

> 1 kg de açúcar
> 1 kg de coco sem a pele e ralado grosso
> 2 xícaras (chá) de água

PREPARO

Coloque, em uma panela, o açúcar, o coco, a água e leve ao fogo, mexendo de vez em quando, até ficar firme. Desligue e, com uma colher grande, pegue porções da cocada e coloque sobre uma superfície untada, formando montinhos. Deixe esfriar para endurecer.

* RENDIMENTO: 40 porções

* TEMPO DE PREPARO: 1 hora

INGREDIENTS

> 1 kg sugar
> 1 kg coconut, coarsely grated
> 2 cups water

DIRECTIONS

In a pot, add sugar, coconut, and water and place over medium heat, stirring occasionally until firm. Remove from heat and, with a large spoon, spoon mixture onto greased surface in small heaps. Let it chill and harden.

** SERVING: 40 portions*

** PREP TIME: 1 hour*

Thiago de Mello nasceu na cidade de Barreirinha, no coração do Amazonas. Cursou a Faculdade de Medicina até o quarto ano, quando por vocação optou por deixar os estudos médicos e dedicar-se à poesia. Sempre lutando contra tudo o que ameaça e fere a nobreza da condição humana, Thiago de Mello foi perseguido pela ditadura militar implantada no Brasil em 1964. Foi obrigado a deixar sua terra, tendo se exilado no Chile, até a queda de Salvador Allende. No seu poema Os Estatutos do Homem (1977), um dos mais conhecidos, o poeta chama a atenção do leitor para os valores simples da natureza humana. Seu livro Poesia Comprometida com a Minha e a Tua Vida rendeu-lhe, em 1975, ainda durante o regime militar, um prêmio da Associação Paulista dos Críticos de Arte. Com sua obra publicada em vários países, conhecido internacionalmente por sua luta em prol dos direitos humanos, da ecologia e da paz mundial, Thiago de Mello é um dos grandes poetas brasileiros.

NORTE

POR THIAGO DE MELLO

QUEM ME DERA A MÃO DELA

É o que dá nascer poeta. A gente diz que está se lembrando do gosto de uma iguaria predileta, acham logo que é pura invencionice. Pois eu digo que muita vez a memória me traz, de presente, quando estou saudoso do rio da minha infância, o gosto de um curimatã na brasa, assado com molho de pimenta-de-cheiro. O paladar também tem memória. O paladar e o olfato. Não estou dizendo que numa suavidade especial das curvas cerebrais se aconchegam neurônios com o dom de guardar sabores e perfumes. Não lido com essas ciências. O que eu digo, só invento o que é verdade, é que me lembro, deliciado, do sabor de umas ovas de acari-bodó (deixam o caviar russo no chinelo) que eu preparo cozidas ao suco de laranja com alfavaca. Ou do cheiro que o vento espalhava, e toda a vizinhança ficava com água na boca, porque na casa do doutor Franco de Sá assavam um peito de tartaruga no fogareiro do quintal. Do perfume aveludado do cupuaçu deixo a quem quiser duvidar. Um entardecer, atravessando a ponte entre Wisbadden e Mainz (mein libes Mainz) sobre o Reno, o estreito rio alemão, que me consolava da falta do igarapé do Pucu, me veio lá da lonjura da pátria o cheiro cobiçoso da fruta. Posso te contar, querido André? Quando comecei a me lembrar do cheiro gostoso da cabeça do pacu bem torradinha; a sentir, em pleno inverno "das Europas", o cheiro da pimenta murupi, achei que já era demais e tomei a decisão de voltar. Antes da anistia. Por isso mesmo fui recebido na porta do avião pela rudeza fardada. Culpa do peixe e da fruta? Injustiça! Do faz escuro mas eu canto. A minha ciência come é no pirão escaldado da farinha-seca que a dona Coló prepara lá na Freguesia do Andirá, iguaria que o pintor do meu coração Luis Felipe Noé vinha lá de Buenos Aires só para provar com ventrecha de pirarucu. Bebe na cuia arroxeada do açaí que o Nilson Chaves canta, que também se chama juçara. Aprendo a inventar com o caldo do que me acontece. É o saber de experiências feito, do Camões.

Numa casa portuguesa do meu exílio, foi servida a bondade de um pargo de forno ao sal grosso. Saboreei, vagaroso, um pedaço do lombo.
-Este peixe do Tejo está me lembrando o tambaqui do meu rio.
-É igualzinho? - perguntou Catharina Wendt, minha tradutora alemã.
-Não, é até diferente, mas o fim de uma provada me trouxe o gosto do peixe da floresta, que faz tempo não saboreio.
Um dia chileno dos anos 60, o Armando Nogueira, também filho da floresta, quis me fazer um agrado. Me mandou por um comandante da Varig, amigo dele, uma banda de tambaqui congelada, que conseguiu lá no Arataca do Rio de Janeiro. Levei a preciosidade para a Isla Negra, de presente para o meu querido Neruda, o Paulinho, cujo gosto requintado eu conhecia bem. Exigente no caldillo de congrio como no bœuf à la bourguignonne, na truta de piedra ou no gullash vienense. Esperei que as brasas se recobrissem de cinza, assei o tambaqui só com sal e umas folhas de perejil. O vate repetiu a costela. Guardo o tom solene do seu comentário:
-Este teu peixe merece um lugar no Larousse Gastronomique.
Paro de escrever. O Zé Brito me chama para almoçar ali na beira da Ponta da Gaivota. Uma piranha do rio Andirá. Piranha, sim senhor. A preta é mais carnuda. Na proa da canoa. De mão. Na pá do remo, um montinho de sal, um de farinha-d'água, outro da santa murupi, especiaria que só dá na floresta, arde que só ela, mas é gostosa e perfumada. Fina flor da cultura culinária ribeirinha. O sabor varia ao gosto da mão. Lá na capital não tem disso, não.

Manaus tem primores da cozinha cabocla, na qual o tambaqui, o pirarucu, a matrinchã e o tucunaré são os soberanos. Sem desfazer da maravilha dos menos famosos (o rio Amazonas tem mais de mil espécies só dos de escama), meus preferidos: curimatã, pacu, branquinha, jaraqui, pescada, sulamba (mulher parida não come); acho bom parar, senão vai sair mais caro o livro do André, o que ele quer são os sabores. Vou dar os meus, que são os dos que sabem o que é bom. O jaraqui do Galo Carijó, inventado pelo Alfredinho, meu colega de empinar papagaio. Dourado na banha de porco. Baião de dois, farinha-d'água e tucupi na malagueta. O poeta padre Ernesto Cardenal, já três vezes veio lá de Solentiname, no lago da Nicarágua, passar uns dias comigo na Barreirinha. Na volta a Manaus, faz questão de duas coisas: rever o Encontro das Águas (onde empresários impiedosos queriam construir um porto colossal, mas o IPHAN, viva Brasília, teve o valor de tombar o milagre da natureza) e repetir o tucunaré do Carijó, que, aliás, entra com uma estrofe no seu apaixonado poema Manaus Ressuscitada.

Lugar de honra para a caldeirada de tambaqui (que venha com a cabeça). Para começar, ovas cozidas de curimatã. As costelas grandonas separadas do lombo. Deixar ferver primeiro em fogo brando na água com sal cuidadoso, depois deitar o refogado de alho, cebola, pimentão e cheiro-verde. O turista gosta com ovo cozido. Azeite português, que é como na floresta se chama o de oliva. O caboclo vai de arroz soltinho e farinha-d´água caroçuda.

O mesmo procedimento para o ensopado de tamauatá, peixe dizem que antidiluvial, pequenino, de escamas dançantes, como as das armaduras medievais. A carne rosada pede um refresco de taperebá.

Em todo canto da floresta não falta (a não ser quando o rio enche e o peixe vai namorar no Lago Grande) é o cozido de pirarucu, com quiabo, maxixe, pimentão, batata-doce e a infalível pimenta-de-cheiro. Para o sábio Jari Botelho, caboclo sábio meu irmão, lá das estrelas, não me deixa mentir: peixe cozido era só com limão, sal e cebolinha verde, o resto tirava o sabor.

A matrinchã na brasa é arte de alta cultura. Assada no forno, descamada e bem ticada, rodelas de cebola roxa. Chicória picada entre as costelas. O pirão mole de farinha de grãos dourados, todos tão iguaizinhos, que o Leonardo bom de peixe e de ternura chama de ovas de bodó.

O Braz do Mercure grelha uma costela de tambaqui com lombo e tudo. Só que o lombo vem sem as afiadas espinhas de forquilha. Quanta delicadeza! Com farofa de farinha-seca. O Batista da Ponta Negra grelha é logo o tambaqui inteiro. Posso recomendar, André, a carne preta das abas da cabeça?

Dou de graça o sabor do tucunaré na telha de barro. No lençol de folha de bananeira. Refogado com alho e cebola, depois assado no forno. Especialidade para mesa de aniversário de casamento.

Quando a ternura me pede, não me faço de rogado. Abro um tucunaré pelo dorso, de alto a baixo.Tiro o espinhaço, limpo o bucho, esfrego devagar por dentro com limão e sal. Recheio com farofa de farinha-seca no alho. Costuro as duas bandas e levo ao forno bem brando. Não quero me gabar. Fica quase igualzinho ao que fazia a minha mãe, dona Maria. Quem me dera a mão dela.

AMAZONAS

VITÓRIA-RÉGIA / *VICTORIA AMAZÔNICA WATER LILIES*

Thiago de Mello was born in the city of Barreirinha, in the heart of the Amazon. He completed up to the fourth year of medical school, but chose to leave his studies to dedicate himself to his passion, poetry. Always fighting against everything that threatens and harms the noblesse of the human condition, Thiago de Mello was persecuted by the military dictatorship installed in Brazil in 1964. He had to leave his native land, going into exile in Chile until the fall of Salvador Allende. In his poem "Os Estatutos do Homem" (1977), one of the most well-known, the poet calls the reader's attention to the simple values of human nature. His book Poesia Comprometida com a Minha e a Tua Vida earned him the São Paulo Art Critics Association Award in 1975, during the height of the dictatorship. With books published in several countries, known internationally for his struggle to defend human rights, the environment and world peace, Thiago de Mello is one of Brazil's great poets.

BY THIAGO DE MELLO

WILLING TO HAD INHERITED HER TOUCH

This is what happens when you're born a poet. We reminisce about the taste of our favorite delicacy, and people think it's pure embellishment. But I'm telling you that often my memories gift me with the flavor of a roasted curimatã in Suriname yellow pepper sauce when I'm missing the river of my childhood. Our taste buds have memories too. Taste buds and noses. I'm not saying that in a special easiness of the curves of my brain neurons cuddle up with the ability to save flavors and aromas. I don't deal with these sciences. What I'm saying is that I can only make up what's really there, and I remember the taste of pleco eggs (they leave Russian caviar in the dust) that I cook in orange juice with basil. Or the smell that the wind wafted throughout the neighborhood and everyone's mouth watered, because at Franco de Sá's house they would roast turtle breast over a camp stove in the yard. Whoever doesn't want to believe me about the velvety aroma of cupuaçu can go right ahead. One evening, crossing the bridge between Wisbadden and Mainz (mein libes Mainz) over the Rheine, that narrow German river that consoled my longing for the Pucú River, from across the distance to my native land came the longed-for smell of that fruit. Let me tell you, dear André? When I began to remember the delicious smell of crispy pacu head, smelling it, from the depths of European winter, the scent of Scotch bonnet pepper, I thought I had enough and decided to come back home. Before the amnesty, so I was greeted at the gate by the police rudeness. Could I blame the fish and the fruit? Unfair! It might have been a little difficult but I was happy. My science eats in the scalded sauce of dry flour that Miss Coló cooks up in Freguesia do Andirá, that my heart's painter Luis Felipe Noé came all the way from Buenos Aires just to try arapaima filets. He drinks from the purpled bowl of açaí that Nilson Chaves sings of and that is also called juçara. I learned to invent new things with the sauce that appears before me. This is the knowing from experiments, of Camões.

In a Portuguese home in my exile, I was once served the goodness of an oven-baked pargo with kosher salt.
I slowly savored a piece of fish loin.
-This Tejo fish reminds me of the tambaqui from my river.
-Is it just the same? asked Catharina Wendt, my German translator.
-No, it's different, actually, but the aftertaste of a bite brought me the flavor of a forest fish, and it's been a long time since I've had that.
One Chilean day in the 60s, Armando Nogueira, who was also a native son of the forest, wanted to do something special for me. Through a Varig pilot friend of his, he sent me some frozen tambaqui that he found at Arataca in Rio de Janeiro. I took the precious jewel to Isla Negra as a gift to my dear Neruda, Paulinho, whose refined taste I knew well. Demanding of his pink cusk eel stew like with bœuf à la bourguignonne, rock trout or Viennese goulash. I waited until the coals were covered with ash and roasted the tambaqui with only salt and some perejil leaves. The poet had another rib. I'll never forget the solemnity of his comment:
-This fish of yours deserves a place in the Larousse Gastronomique.
I stop writing. Zé Brito invites me to lunch near the Ponta da Gaivota. A piranha of the Andirá River. Piranha, yes sir. The black ones are meatier. In the prow of the canoe. With our hands. On the oar, a pile of salt, manioc flour, another of the holy Scotch bonnet, a pepper that only grows in the forest and burns like only it can, but it is delicious and aromatic. The finest flower from the river's people culture. The flavor varies according to the cook. In the city they don't have this, no sir.

Manaus has delicacies of coboclo cuisine, where the tambaqui, arapaima, brycon and chichla reign. But don't forget the marvels of the less famous (the Amazon River has more than a thousand species, just of fish), my favorites: curimatã, pacu, branquinha, jaraqui, hake, silver arowana (after deliver a child, women do not eat this)... I think I better stop, or André's book is going to get expensive. What he wants are the flavors. I will give mine, which are from who knows what is good. The jaraqui of Galo Carijó, created by Alfredinho, my partner in kite flying. Dourado fish in lard. Baião de dois rice, manioc flour and wild manioc leaf sauce in malagueta chilli pepper. The poet Father Ernesto Cardenal, who had already come three times from Solentiname at Nicaragua lake to spend some time with me in Barreirinha. On the way back to Manaus, he insists on two things: to see the Meeting of the Waters again (where impious businessmen want to build a colossal port, but Iphan, thanks to Brasília, had the value to preserve the nature's miracle) and eat chichla from Carijó again, which, by the way, is a strophe in his impassioned poem "Manaus Ressucitada."

The tambaqui stew (with the head) gets a place of honor. To start, cooked curimatã eggs. The giant ribs pulled from the spine. Boil it first over low heat in slightly salted water, and then put it over sautéed garlic, onion, green bell pepper, parsley and green onions. Tourists like it with hard boiled eggs. Portuguese oil, as olive oil is called in the forest. Caboclos like loose rice and flaky toasted manioc flour.

The same procedure is used for tamauatá soup; they say this fish is antediluvian, small with dancing scales like medieval armor. The pink meat requires cajá juice.

Throughout the forest, there is no lack of pot-roasted arapaima (except with the river floods and all the fish go date each other in the Lago Grande) with okra, maxixe, bell peppers, sweet potatoes and the unfailing Suriname yellow pepper. From the start, my brother caboclo, the wise Jari Botelho, doesn't let me lie: the fish is cooked only with lime, salt and green onion. Anything else would stifle the flavor.

Roasted matrinchã is high culture art. Baked in the oven, cleaned and well cut, with slices of red onion. Chopped chicory between the ribs. The moist manioc meal with golden grains, all the same, that Leonardo, good with fish and gently calls it bodó eggs.

Braz from Mercure grills a tambaqui rib with loin and everything. That comes without the sharp wishbones. How delicate! With toasted dried manioc flour. Batista from Ponta Negra grills the whole tambaqui fish. André, may I recommend the black meat of the head fins?

I thank God for the flavor of the tucunaré fish over clay roof tiles. In a bed of banana leaf. Sautéed with garlic and onion, and then oven baked. A special meal for wedding anniversaries.

When kindness calls me, I don't feel sorry for myself. I open a tucunaré by its dorsal, from top to bottom. I remove the spines, clean the stomach, slowly rub in the lime and salt. I fill it with toasted manioc flour with garlic. I sew it shut and take it to a warm oven. I don't want to brag, but it is almost the same as the tucunaré my mother Maria used to make. Willing to had inherited her touch.

PARÁ

CACHOEIRA DO ARARI / ARARI FALLS

PARÁ

MERCADO VER-O-PESO DE BELÉM / *VER-O-PESO MARKET IN BELÉM*

PARÁ

CACHOEIRA DO ARARI / *ARARI FALLS*

PARÁ

MERCADO VER-O-PESO DE BELÉM / *VER-O-PESO MARKET IN BELÉM*

PARÁ

CACHOEIRA DO ARARI / *ARARI FALLS*

MARANHÃO

FESTA FOLCLÓRICA BUMBA-MEU-BOI / *BUMBA–MEU-BOI FOLK FESTIVAL*

AMAZONAS

FRUTO DO GUARANÁ / *GUARANÁ FRUIT*

AMAZONAS

BARCO FLUTUANDO NO RIO NEGRO / *BOAT ON THE RIO NEGRO*

COSTELA DE TAMBAQUI COM FAROFA

Pacu Ribs with Toasted Manioc Flour

INGREDIENTES

- 2,5 kg de costelas de tambaqui
- suco de 2 limões
- sal e pimenta-do-reino a gosto
- 2 colheres (sopa) de óleo
- 200 g de bacon picado
- 2 cebolas grandes picadas
- 1/2 xícara (chá) de azeitonas verdes picadas
- 1/2 lata de milho verde em conserva
- 2 tomates sem pele e sem sementes picados
- 1 pimenta vermelha picada
- 1 xícara (chá) de água
- 4 xícaras (chá) de farinha de milho em flocos

PREPARO

Tempere as costelas de tambaqui com o suco de limão, sal e pimenta-do-reino. Leve ao forno até dourar. Em uma panela, aqueça o óleo e frite o bacon e a cebola até dourarem. Junte as azeitonas, o milho, os tomates, a pimenta e a água. Deixe cozinhar um pouco até os tomates amolecerem; tempere com sal e adicione a farinha de milho, mexendo rapidamente. Deixe aquecer e sirva acompanhando as costelas de tambaqui.

* RENDIMENTO: 12 porções

* TEMPO DE PREPARO: 1 hora

INGREDIENTS

- *2.5 kg Pacu ribs*
- *juice of 2 limes*
- *salt and pepper to taste*
- *2 tbsp oil*
- *200 g bacon, diced*
- *2 large onions, chopped*
- *1/2 cup green olives, chopped*
- *1/2 can kernel corn*
- *2 tomatoes, skinned, de-seeded and chopped*
- *1 red pepper, chopped*
- *1 cup water*
- *4 cups corn flour*

DIRECTIONS

Season pacu ribs with lime juice, salt and pepper. Bake until golden brown. In a saucepan, heat oil and fry bacon and onion until browned. Add olives, corn, tomatoes, pepper and water. Cook until tomatoes soften, salt and add corn flour, stirring quickly. Heat and serve with pacu ribs.

** SERVING: 12 portions*

** PREP TIME: 1 hour*

TRAMONTINA
DESIGN COLLECTION

ISCAS DE PIRARUCU

Deep Fried Arapaima

INGREDIENTES

> 1,5 kg de pirarucu
> sal a gosto
> suco de 2 limões
> 4 ovos batidos
> 2 xícaras (chá) de farinha de trigo
> óleo para fritar

Molho

> 1/2 maço de salsa, de cebolinha e de coentro
> 1 cebola grande picada
> 1 dente de alho
> suco de 1 limão
> 2 colheres (sopa) de vinagre
> 3 tomates pequenos sem sementes picados
> 1/2 xícara (chá) de azeite
> pimenta-do-reino a gosto

PREPARO

Corte o peixe em cubos e tempere com sal e o suco de limão. Passe o peixe no ovo batido e na farinha de trigo. Frite em óleo quente até dourar.

Molho

Bata no liquidificador a salsa, a cebolinha, o coentro, a cebola, o alho, o suco de limão, o vinagre, os tomates, o azeite, sal e pimenta-do-reino. Sirva esse molho com o peixe frito.

* RENDIMENTO: 6 porções

* TEMPO DE PREPARO: 1 hora e 30 minutos

INGREDIENTS

> 1.5 kg arapaima fish
> salt to taste
> juice of 2 limes
> 4 eggs, beaten
> 2 cups all purpose flour
> oil for frying

Sauce

> 1/2 bunch parsley, green onion and cilantro
> 1 large onion, chopped
> 1 clove garlic
> juice of 1 lime
> 2 tbsp vinegar
> 3 small tomatoes, de-seeded and chopped
> 1/2 cup olive oil
> pepper to taste

DIRECTIONS

Cut fish into cubes and season with salt and lime juice. Dip in beaten egg and then in flour. Deep fry in hot oil until golden brown.

Sauce

In a blender, mix parsley, green onion, cilantro, onion, garlic, lime juice, vinegar, tomatoes, olive oil, salt and pepper. Serve with fried fish.

** SERVING: 6 portions*

** PREP TIME: 1 hour, 30 minutes*

PATO NO TUCUPI

Duck with Wild Manioc Roots Sauce

INGREDIENTES

> 2,5 kg de pato

Tempero do Pato

> suco de 2 limões grandes
> 2 cabeças de alho socadas
> 250 ml de vinagre branco
> 1/2 pimenta-de-cheiro picada
> sal a gosto

Molho de Tucupi

> 2,5 litros de tucupi
> 1 pimenta-de-cheiro
> 2 cabeças de alho
> 20 folhas de alfavaca
> 10 folhas de chicória-do-norte
> sal a gosto
> 3 maços de jambu

Molho de Pimenta

> 8 pimentas-de-cheiro
> 1/2 dente de alho
> 1/2 xícara (chá) de tucupi fervente
> sal a gosto

PREPARO

Corte o pato em pedaços e lave-os.

Tempero do Pato

Em uma tigela, coloque o suco dos limões, o alho amassado, o vinagre, a pimenta e sal. Mergulhe o pato nesse tempero, cubra e deixe marinar por 12 horas na geladeira. Passe o pato com o tempero para uma assadeira e leve ao forno preaquecido em temperatura média por 50 minutos, regando o pato com o líquido da assadeira durante o cozimento. Retire do forno e reserve.

Molho de Tucupi

Em uma panela grande, coloque o tucupi, a pimenta-de-cheiro, as cabeças de alho cortadas ao meio, a alfavaca, a chicória e sal. Leve ao fogo e ferva por 3 minutos. Separe 1,5 litro desse caldo e reserve. No caldo que ficou na panela com os temperos, coloque o pato assado e cozinhe até que fique bem macio. Retire o pato e descarte o caldo. Lave as folhas de jambu e escalde-as em água quente e sal para murcharem.

Molho de Pimenta

Amasse as pimentas-de-cheiro com o dente de alho, o tucupi fervente e sal.

Montagem

Em uma tigela funda, coloque o jambu e os pedaços de pato. Cubra com o caldo de tucupi reservado e quente. Sirva a seguir acompanhado do molho de pimenta e arroz branco.

* RENDIMENTO: 8 porções

* TEMPO DE PREPARO: 13 horas e 30 minutos

DUCK WITH WILD MANIOC ROOTS SAUCE

INGREDIENTS

> 2.5 kg duck

Duck Marinade

> juice of 2 large limes

> 2 heads garlic, crushed

> 250 ml white vinegar

> 1/2 Suriname yellow chili pepper, diced

> salt to taste

Wild Manioc Roots Sauce

> 2.5 L decanted wild manioc roots juice

> 1 Suriname yellow pepper

> 2 heads of garlic

> 20 basil leaves

> 10 leaves Mexican coriander

> salt to taste

> 3 bunches of paracress

Pepper Sauce

> 8 Suriname yellow peppers

> 1/2 clove garlic

> 1/2 cup boiling decanted wild manioc roots juice

> salt to taste

DIRECTIONS

Quarter duck and wash.

Duck Marinade

In a bowl, mix lime juice, crushed garlic, vinegar, salt and pepper. Marinate duck for 12 hours in the refrigerator. Place duck and marinade in a baking pan and bake in pre-heated oven at 350° F (180° C) for 50 minutes, basting the duck with the liquid in the dish during cooking. Remove and set aside.

Wild Manioc Roots Sauce

In a large saucepan, mix decanted wild manioc roots juice, pepper, halved heads of garlic, basil, Mexican coriander and salt. Boil for 3 minutes. Separate 1.5 liter of this sauce and set aside. In the remaining sauce, add roasted duck and cook until very tender. Remove duck and discard the sauce. Wash paracress and blanch it in salted hot water until wilted.

Pepper Sauce

Crush peppers with garlic, wild manioc roots juice and salt.

Assembly

Place paracress and duck in a deep bowl. Cover with the reserved, hot wild manioc roots sauce. Serve immediately with pepper sauce and white rice.

** SERVING: 8 portions*

** PREP TIME: 13 hours, 30 minutes*

TACACÁ

Amazon Paracress Soup

INGREDIENTES

- 400 g de camarões secos grandes
- 2 litros de tucupi
- 3 folhas de chicória-do-norte
- sal a gosto
- 4 folhas de alfavaca
- 1 dente grande de alho amassado
- 3 pimentas-de-cheiro
- 3 maços de jambu
- 200 g de polvilho azedo ou goma de mandioca
- 1,5 litro de água

PREPARO

Coloque os camarões de molho em água por 2 horas, trocando a água duas vezes nesse tempo. Escorra e retire as cabeças e as pernas dos camarões. Reserve. Coloque o tucupi em uma panela e ferva por 30 minutos junto com a chicória, sal, a alfavaca e o alho. Durante o cozimento, retire, com uma colher ou escumadeira, a espuma que formar na superfície. Amasse as pimentas e junte ao tucupi. Cozinhe o jambu em água por 10 minutos, deixando os galhos menores inteiros; escorra e reserve. Em uma panela, dissolva o polvilho na água, acrescente sal e leve ao fogo, mexendo sempre. Depois que engrossar, cozinhe em fogo baixo, por mais 5 minutos, até formar uma goma bem transparente.

Montagem

Sirva o tacacá em tigelas individuais. Coloque uma porção de tucupi bem quente, uma concha de goma transparente, algumas folhas de jambu e quatro camarões. Deve ser servido quente.

* RENDIMENTO: 15 porções

* TEMPO DE PREPARO: 2 horas e 50 minutos

INGREDIENTS

- *400 g large dried shrimp*
- *2 L decanted wild manioc roots juice*
- *3 leaves Mexican coriander*
- *salt to taste*
- *4 basil hairy leaves*
- *1 large clove garlic, crushed*
- *3 Suriname yellow peppers*
- *3 bunches of paracress*
- *200 g manioc starch or gum flour*
- *1.5 L water*

DIRECTIONS

Rehydrate shrimp in water for 2 hours, changing water twice. Drain and remove shrimp heads and legs. Set aside. Place decanted wild manioc roots juice in a saucepan and boil for 30 minutes with Mexican coriander, salt, hairy basil and garlic. During cooking, remove foam that forms on the surface. Crush peppers and add to sauce. Cook paracress in water for 10 minutes, leaving smaller sprigs whole. Drain and set aside. In a saucepan, dilute manioc starch in water, add salt and cook, stirring constantly. After thickening, cook over low heat for another 5 minutes until a very clear syrup forms.

Assembly

Serve gumbo in individual bowls. Place a serving of very hot wild manioc roots sauce, a ladle of starch syrup, some paracress and four shrimp in each bowl. Serve very hot.

** SERVING: 15 portions*

** PREP TIME: 2 hours, 50 minutes*

TORTA DE CASTANHA-DO-PARÁ COM CUPUAÇU

Brazil Nut Cake with Cupuaçu

INGREDIENTES

Massa

> 10 ovos
> 10 colheres (sopa) de açúcar
> 1 colher (chá) de essência de baunilha
> 8 colheres (sopa) de castanhas-do-pará trituradas
> 4 colheres (sopa) de farinha de trigo

Recheio

> 2 e 1/2 xícaras (chá) de açúcar
> 1 xícara (chá) de água
> 250 g de polpa de cupuaçu

Cobertura

> 6 claras
> 12 colheres (sopa) de açúcar
> 1 xícara (chá) de água

PREPARO

Massa

Bata as gemas com o açúcar até formar um creme claro. Junte a essência de baunilha, a castanha-do-pará e a farinha de trigo. Bata as claras em neve e incorpore, delicadamente, à massa. Coloque em uma forma redonda de aro removível, untada e enfarinhada, e leve ao forno preaquecido em temperatura média (180° C) por 40 minutos. Espere amornar e desenforme.

Recheio

Coloque, em uma panela, o açúcar e a água. Quando formar uma calda rala, acrescente a polpa de cupuaçu. Quando estiver com consistência de geleia mole, desligue e deixe esfriar.

Cobertura

Bata as claras em neve firme e reserve. Coloque o açúcar e a água no fogo até formar uma calda em ponto de fio. Retire do fogo e despeje em fio sobre as claras, batendo o tempo todo, até terminar a calda e esfriar o marshmallow.

Montagem

Corte o bolo ao meio na horizontal e espalhe o recheio. Feche com a outra parte da massa. Cubra a torta com o marshmallow. Deixe na geladeira até o momento de servir.

* RENDIMENTO: 20 porções

* TEMPO DE PREPARO: 1 hora e 30 minutos

INGREDIENTS

Cake

> *10 eggs*
> *10 tbsp sugar*
> *1 tsp vanilla extract*
> *8 tbsp ground Brazil nuts*
> *4 tbsp flour*

Filling

> *2 1/2 cups sugar*
> *1 cup water*
> *250 g cupuaçu pulp*

Topping

> *6 egg whites*
> *12 tbsp sugar*
> *1 cup water*

DIRECTIONS

Cake

Beat yolks with sugar until it forms a light yellow cream. Add vanilla extract, Brazil nut and flour. Beat egg whites until stiff and carefully fold into dough. Place in a greased, floured round spring form pan and bake in pre-heated oven at 350° F (180° C) for 40 minutes. Cool and unmold.

Filling

Place sugar and water in a saucepan. When a thin sauce forms, add cupuaçu pulp. When it reaches the consistency of a thin jam, remove from heat and allow to cool.

Topping

Beat egg whites until stiff and set aside. Heat sugar and water until they form brittle threads. Remove from heat and drizzle over whites, beating constantly until all syrup has been incorporated. Chill marshmallow.

Assembly

Slice cake into two discs and spread filling on one. Cover with other half of cake. Cover with marshmallow. Keep refrigerated until served.

** SERVING: 20 portions*

** PREP TIME: 1 hour, 30 minutes*

BOLO DE PUPUNHA

Peach-Palm Fruit Cake

INGREDIENTES

- > 2 xícaras (chá) de pupunha cozida e amassada
- > 2 vidros de leite de coco (400 ml)
- > 5 ovos
- > 1 colher (sopa) de manteiga
- > 2 xícaras (chá) de açúcar
- > 2 colheres (sopa) de farinha de trigo
- > 1 xícara (chá) de coco em flocos

PREPARO

No liquidificador, bata a pupunha com o leite de coco por 5 minutos e reserve. Na batedeira, bata as gemas, a manteiga e o açúcar até formar um creme claro. Junte a pupunha batida e a farinha de trigo. À parte, bata as claras em neve e incorpore delicadamente à massa. Coloque em uma forma de furo central untada e enfarinhada e leve ao forno preaquecido em temperatura média por 40 minutos. Espere amornar e desenforme.

* RENDIMENTO: 8 porções

* TEMPO DE PREPARO: 1 hora

INGREDIENTS

- *> 2 cups peach-palm fruit, cooked and mashed*
- *> 2 bottles (400 ml) coconut milk*
- *> 5 eggs*
- *> 1 tbsp butter*
- *> 2 cups sugar*
- *> 2 tbsp flour*
- *> 1 cup grated coconut*

DIRECTIONS

In a blender, mix peach-palm fruit with coconut milk for 5 minutes and set aside. In a mixer, beat egg yolks, butter and sugar until they form a light cream. Add peach-palm fruit mixture and flour. Separately, beat egg whites until stiff and carefully fold into dough. Place in a greased, floured bundt pan and bake in pre-heated oven at 350° F (180° C) for 40 minutes. Cool and unmold.

** SERVING: 8 portions*

** PREP TIME: 1 hour*

COZIDO DE PIRARUCU

Arapaima Fish Stew

INGREDIENTES

- > 1,5 kg de pirarucu (fresco ou salmourado)
- > suco de 1 limão
- > 2 colheres (sopa) de manteiga
- > 2 cebolas grandes picadas
- > 2 dentes de alho picados
- > 2 tomates picados sem pele e sem sementes
- > 1 pimentão vermelho cortado em pedaços médios
- > 1 pimentão verde cortado em pedaços médios
- > pimenta-de-cheiro e sal a gosto
- > 1 colher (sopa) de alfavaca picada
- > 1 folha de louro
- > 500 g de batata-doce cortada em pedaços
- > 1 litro de caldo de pirarucu ou de legumes
- > 300 g de quiabo cortado em pedaços
- > 300 g de maxixe cortado ao meio
- > 1 maço de couve-manteiga (folhas inteiras)
- > 2 colheres (sopa) de salsa picada
- > 2 colheres (sopa) de cebolinha picada
- > 1 colher (sopa) de coentro picado

PREPARO

Dessalgue o peixe seco ou lave o peixe fresco com limão e água. Prepare um refogado com a manteiga, as cebolas e o alho. Junte os tomates, os pimentões e deixe amolecer. Tempere com a pimenta, sal, alfavaca e louro. Acrescente a batata-doce e o caldo fervente de pirarucu ou de legumes, deixando ferver por mais 10 minutos. Misture o quiabo, o maxixe e deixe ferver por mais 10 minutos. Enrole as folhas de couve em forma de charuto e amarre com um barbante. Por último, adicione o peixe, a couve enrolada e os temperos verdes. Tampe a panela e deixe ferver por aproximadamente 15 minutos, ou até que o peixe fique cozido. Verifique o ponto de cocção dos legumes para que não se desmanchem e, se necessário, retire-os da panela e reserve para retorná-los ao caldo apenas na hora de servir. Quando tudo estiver cozido, acerte o tempero e coloque em travessas, separando os legumes e peixe com um pouco de caldo.

* RENDIMENTO: 6 porções

* TEMPO DE PREPARO: 45 minutos

INGREDIENTS

- *> 1.5 kg arapaima fish (fresh or salt cured)*
- *> juice of 1 lime*
- *> 2 tbsp butter*
- *> 2 large onions, chopped*
- *> 2 cloves garlic, diced*
- *> 2 tomatoes, skinned, de-seeded and chopped*
- *> 1 red bell pepper cut into medium-sized pieces*
- *> 1 green bell pepper cut into medium-sized pieces*
- *> suriname yellow pepper and salt to taste*
- *> 1 tbsp hairy basil, chopped*
- *> 1 bay leaf*
- *> 500 g sweet potatoes, cubed*
- *> 1 L arapaima fish or vegetable stock*
- *> 300 g okra, sliced*
- *> 300 g maxixe, halved*
- *> 1 bunch collard greens (whole leaves)*
- *> 2 tbsp parsley, chopped*
- *> 2 tbsp green onions, chopped*
- *> 1 tbsp cilantro, chopped*

DIRECTIONS

Desalt dry fish or wash fresh fish with lime and water. Sauté onion and garlic in butter. Add tomatoes and bell pepper and sauté until soft. Season with pepper, salt, basil and bay leaf. Add sweet potato and boiling fish or vegetable stock, allowing to boil for another 10 minutes. Add okra and maxixe and allow to boil for 10 minutes. Roll the collard green leaves in the form of a cigar and tie with string. Finally, add fish, rolled collard greens and green seasonings. Cover and boil for approximately 15 minutes or until fish is cooked. Check vegetables, which should be firm, and if necessary, remove them from the pot and set aside, to return to the stew only to serve. When everything is cooked, adjust the spice and place in bowls, separating the vegetables and fish with some juice.

** SERVING: 6 portions*

** PREP TIME: 45 minutes*

VITAMINA DE AÇAÍ COM BANANA E GUARANÁ

Açaí Shake with Banana and Guaraná

INGREDIENTES

> 200 g de polpa de açaí congelada
> 1 banana-nanica inteira
> 1/4 de xícara (chá) de xarope de guaraná
> 1 xícara (chá) de leite
> cubos de gelo a gosto

PREPARO

Bata, no liquidificador, a polpa de açaí, a banana, o xarope de guaraná e o leite. Acrescente os cubos de gelo para obter uma consistência mais cremosa.

* RENDIMENTO: 1 porção

* TEMPO DE PREPARO: 10 minutos

INGREDIENTS

> 200 g frozen açaí pulp
> 1 banana
> 1/4 cup guaraná syrup
> 1 cup milk
> ice, to taste

DIRECTIONS

In a blender, mix açaí pulp, banana, guaraná syrup and milk. Add ice to obtain a creamier consistency.

** SERVING: 1 portion*

** PREP TIME: 10 minutes*

Editora Boccato Ltda. EPP
Rua dos Italianos, 845 - 01131-000
Bom Retiro - São Paulo - SP
Tel.: 11 3846-5141
www.boccato.com.br

Criação e Edição / Criation and Edition: André Boccato

Direção de Arte e Projeto Gráfico / Art Direction and Graphic Project: Camilla Sola (Bee Design)

Coordenação Editorial / Editorial Coordination: Rodrigo Costa / Manon Bourgeade / Maria Aparecida C. Ramos

Coordenação de Produção / Production Coordination: Arturo Kleque Gomes Neto

Prefácio / Preface: Ana Cecília Nigro Mazzilli Xavier de Mendonça

Depoimentos / Introductions: Luis Fernando Veríssimo / Ignácio de Loyola Brandão / Siron Franco / Ana Rita Dantas Suassuna / Thiago de Mello

Tradução / Translation: Lauren A. B. Dobbin

Revisão de Textos / Revision: Maria Luiza Momesso Paulino / Kátia Aparecida Roque

Diagramação / Layout: Manon Bourgeade

Pesquisa das Receitas / Recipes Research: Aline Maria Terrassi Leitão / Daniela Narciso

Cozinha Experimental / Gastronomic Studio: André Boccato / Henrique Cortat / Ciene Cecília / Daniela Narciso

Direção Fotografias das Receitas / Recipes Photography Direction: Camilla Sola (Bee Design)

Fotografias das Receitas / Recipes Photography: Cristiano Lopes

Produção Fotográfica / Photographic Production: Airton G. Pacheco

Créditos Fotográficos / Photographic Credits: André Boccato: págs. 2 e 17 / Andréa D'Amato: págs. 59-61, 85, 89, 90 (a), 91-93, 117-121 e 148 (b)) / Cristiano Lopes: págs. 9 e 58 (a) / Emiliano Boccato: págs. 145-147 e 148 (a) / Luna Garcia: 40 / Marcos Agostini: págs. 28 (b), 29, 30 (a e b) 31 / SHSchmitt: pág. 28 (a) / Shutterstock: págs. Capa, 5-7, 15, 20, 23, 30 (c), 53, 57, 90 (b), 113 e 141 / Stock Xchng: págs. Guardas, 12, 58 (b),148 (c) e 149

Peças e Objetos / Stuff: Atelier Paula Almeida / Feira Moderna / M. Dragonetti / Marcenaria Trancoso / Muriqui Cerâmica / Pepper / Reciclamundo / Stella Ferraz Cerâmica / Tramontina Belém S/A / Tramontina Cutelaria S/A / Tramontina Farroupilha S/A / Tramontina Sudeste S/A

Tratamento de Imagens / Image Treatment: Emiliano Boccato / Arturo Kleque Gomes Neto

Editora Gaia Ltda.
(pertence ao grupo Global Editora e Distribuidora Ltda.)
Rua Pirapitingui, 111-A - Liberdade | CEP: 01508-020 |
São Paulo | SP | Brasil | Tel. (11) 3277-7999 |
www.editoragaia.com.br - gaia@editoragaia.com.br
Nº de Catálogo: 3527

Editora Gaia Ltda.

Diretor Editorial / Editorial Director: Jefferson L. Alves

Diretor de Marketing / Director of Marketing: Richard A. Alves

Gerente de Produção / Production Manager: Flávio Samuel

Coordenadora Editorial / Editorial coordinator: Arlete Zebber

Assistentes Editoriais / Editorial assistants: Elisa Andrade Buzzo e Julia Passos

CIP-BRASIL. Catalogação na fonte
Sindicato Nacional dos Editores de Livros, RJ

B642s

Boccato, André, 1954-
Sabores brasileiros : 40 receitas típicas = Brazilian Tastes 40 Tipical Recipes / André Boccato ; versão para o inglês de Lauren A. B. Dobbin. São Paulo : Gaia : Boccato, 2012.

Texto em português com tradução para o inglês
ISBN 978-85-7555-311-4

1. Culinária brasileira I. Título.

12-8249. CDD: 641.5981
CDU: 641.568(81)

Este livro foi impresso em 2013, a pedido da Editora Gaia e Editora Boccato.
O papel do miolo é Couché Brilho 150 g, o da sobrecapa e capa é Couché Brilho 170 g, empastada em papelão nº 18 e o das guardas é Offset 150 g.
As fontes usadas são a família Freight Sans, a Avenir LT Std e a Juzudama.